Une fin de semaine mouvementée

France Lorrain

ACT
ERE

Illustration de la couverture : Véronique Glorieux
Mise en pages : Folio infographie
Révision : Anik Tia Tiong Fat
Correction d'épreuves : Natacha Auclair

Imprimé au Canada

ISBN : 978-2-89642-334-7

Dépôt légal – Bibliothèque et Archives nationales du Québec, 2010

Gouvernement du Québec — Programme de crédit d'impôt pour l'édition de livres — Gestion SODEC

Nous reconnaissons l'aide financière du gouvernement du Canada par l'entremise du Fonds du livre du Canada pour nos activités d'édition.

Visitez le site des Éditions Caractère
editionscaractere.com

Chapitre 1

La nouvelle idée de Julie

En compagnie de ses parents Simon et Julie, Elliot est assis à la table de la cuisine. Comme il est enfant unique, la conversation tourne souvent autour de lui. Et il aime être l'objet de toutes les attentions ! À d'autres moments, il aime aussi écouter les idées souvent saugrenues de sa mère, toujours en quête de sorties et d'activités différentes. À cet instant précis, il a la main dans les airs, car il a suspendu son geste alors qu'il était sur le point d'engloutir une énorme bouchée de tortellinis aux quatre fromages.

— Pardon ? Que veux-tu faire maman ? demande le garçon en déposant son ustensile dans son assiette.

Elliot regarde sa mère comme si elle était devenue folle. Celle-ci lui sourit gentiment.

— Je veux que nous parrainions une famille de nouveaux arrivants, répond-elle à son fils de dix ans.

— Heu... et pourquoi donc ? demande Simon, le père d'Elliot.

— Oui, renchérit Elliot. Pourquoi veux-tu faire ça ? On est très bien comme ça.

Julie attire son fils vers elle. Elliot sent qu'elle va encore lui parler comme s'il avait trois ans et cela le rend fou. Il soupire profondément en sachant que la décision de sa mère est prise et sans équivoque. Il ne sert à rien d'argumenter.

— J'ai vu une annonce dans le journal local, continue Julie. Le centre d'aide aux nouveaux arrivants cherche des familles québécoises pour accueillir des immigrants.

— Génial ! marmonne Elliot.

Julie lance un regard sévère à son fils.

— Elliot !

— Quoi ? J'ai juste dit génial. Moi, je ne sais pas quoi leur dire à ces gens-là, je ne les connais même pas. Est-ce qu'ils vont être ici tout le temps ? Je ne vois pas pourquoi on accueillerait chez nous des étrangers !

Simon, qui était concentré à la lecture de son journal, le délaisse pour écouter la conversation. Lui aussi sait que ce n'est pas la peine d'argumenter lorsque sa femme a une idée en tête… Alors, il vaut mieux savoir de quoi il s'agit.

— Elliot ! Ils ne viendraient s'installer ici que pour quelque temps. Veux-tu d'abord m'écouter ? Pour l'instant, vous n'avez pas à paniquer, je n'ai pas encore téléphoné. Je voulais vous en parler avant.

— Ah oui, comme si tu nous écoutais, marmonne de nouveau Elliot.

Mais cette fois-ci, sa mère ne laisse pas passer ses paroles.

— Pourquoi dis-tu cela ? Tu n'es pas vraiment brimé, il me semble ! Hein ? Simon, dis quelque chose !

Son mari lui lance un sourire narquois avant de répondre en lançant un clin d'œil à son fils :

— Bien sûr que non, ma chérie. Notre fils est loin d'être brimé.

— C'est quoi ça, être brimé ? demande Elliot en s'éloignant.

— Hum... ça veut dire que tu ne fais pas vraiment pitié, mon gars, ricane son père en reprenant son journal.

— Donc, vous êtes d'accord pour que j'appelle demain matin ? demande Julie en affichant le numéro sur le réfrigérateur.

Elliot ne prend pas la peine de répondre et son père non plus. Julie prend ce silence pour une réponse positive. Le garçon secoue doucement la tête. Une chose est sûre, avec sa mère, on ne s'ennuie jamais! Aussi bien terminer son repas préféré maintenant. Avec son caractère, elle pourrait décider de bannir les pâtes de la maison et de ne cuisiner que des shish-taouk, des tapas ou du couscous au poisson!

— Après tout, marmonne encore Elliot en finissant son repas jusqu'à la dernière miette, l'année dernière, on a bien mangé végétarien pendant trois mois... pour essayer!

— Qu'est-ce que tu dis, mon chéri? demande Julie qui se prépare une tisane à la camomille.

— Oh, rien maman... J'ai fini, je vais appeler Chico.

Une fois dans sa chambre, Elliot se dépêche de téléphoner à son meilleur ami.

— Salut Chico... Tu ne connais pas la dernière? Ma mère a encore eu une brillante idée ! dit-il en enlevant les mousses de chaussette entre ses orteils.

— Ah, un autre concours ? demande son ami en riant. Après les concours de verres à dérouler, de paquets de riz gagnant, de mots croisés…

— Non, pas cette fois-ci ! Ma mère a décidé de nous jumeler avec une famille d'immigrants fraîchement arrivés au Québec.

— Hein ? Pour quoi faire ?

Elliot soupire... Il sent qu'il va devoir répéter souvent ses explications à ses amis. Il hausse les épaules, comme si son ami pouvait le voir.

— Je ne le sais pas, moi, pour quoi faire ! Tu sais bien qu'avec ma mère, quand elle a une idée en tête, il est difficile de lui faire entendre raison.

— Mais moi, je la trouve cool, ta mère ! Elle est super drôle et elle a toujours de bonnes idées.

— Ah, oui... ça dépend pour qui! De toute façon, elle va appeler l'organisme qui s'occupe de ça demain matin. J'en saurai plus demain après l'école.

* * *

Elliot a à peine mis les pieds dans la maison qu'il sait que sa vie sera bientôt transformée. Il entend des voix dans le salon. Des voix qu'il ne connaît pas et qui lui font remémorer le projet de sa mère.

— Zut! grogne le garçon, j'espère que l'on n'est pas déjà jumelés!

Il décide de prendre son temps et de manger sa collation. Une vérification de sa glycémie et hop! une pomme pour satisfaire sa fringale. Elliot est diabétique. Alors qu'auparavant il vivait sa maladie en cachette, son arrivée à l'école Sainte-Martine a tout changé. Depuis presqu'un an, il n'est plus embarrassé par son diabète et n'est plus gêné de vérifier le taux de sucre dans son sang, même devant ses amis. Mais pour l'instant, il est assis silencieusement dans la cuisine en espérant que sa mère ne l'a pas entendu entrer.

— Elliot ? Elliot... c'est toi ?

— Ben non, c'est papa, marmonne le garçon de mauvaise foi avant de répondre d'un oui tonitruant.

— Tu veux bien venir dans le salon un instant ? Je veux te présenter quelqu'un.

Elliot soupire profondément et lance son trognon dans le pot à compost que son père vide tous les jours dans le composteur, derrière le cabanon. Elliot se lève péniblement pour rejoindre sa mère.

— Oui, maman, répond-il gentiment, comme s'il s'adressait à une enfant.

Sa mère se lève dès son entrée. Elle est toute souriante et fébrile. Parfois, on dirait une petite fille, pense Elliot. Ses grands yeux verts brillent et elle attrape la main de son fils.

— Tu te rappelles ce dont je t'ai parlé hier soir ?

— Hum....

Un court instant, Elliot a envie de lui jouer la comédie, mais il choisit d'être raisonnable.

— Bien sûr. Le parrainage d'une famille.

— C'est ça. Eh bien monsieur Tinamous est venu nous rencontrer pour nous expliquer exactement le programme. Et je te jure que c'est vraiment excitant !

Et la voilà qui commence presque à sauter sur place. Elliot repousse les boucles noires qui lui tombent sur le front et fronce son visage étroit. Il a vraiment une mère spéciale.

— Monsieur Tinamous, je vous présente mon fils Elliot. Il a dix ans et est en cinquième année à l'école Sainte-Martine.

— Bonjour, jeune homme, répond l'homme à la peau foncée.

Il tend la main au garçon qui grimace lorsqu'il la serre. L'homme ressemble à un géant et la petite main d'Elliot est engloutie dans la sienne.

— Il est responsable du programme dont je t'ai parlé. Il est ici pour nous présenter différentes familles et expliquer les besoins et exigences du parrainage. Tu veux bien t'asseoir avec nous ? demande sa mère d'un ton suppliant.

Elliot obéit sans broncher. Il est tout de même intrigué par ce que cet homme au drôle d'accent a à leur dire.

Chapitre 2

Le parrainage

— C'est comme ça, explique Elliot à ses copains à la récréation le lendemain matin, qu'on va être les parrains d'une famille ivoirienne.

— Hein? Une famille quoi? interroge son ami Chico en riant.

Chico arrête de dribler avec son ballon de soccer quelques instants, puis recommence. Les autres amis d'Elliot sont affalés contre le mur de briques de l'école. Il y a Arthur, Francis, Marine, Juliette et Alice. Sa bande est très soudée et lorsqu'il arrive quelque chose à l'un de ses membres, tout le monde s'y intéresse. Comme c'est le cas actuellement. Ils attendent qu'Elliot finisse de boire son jus et de manger son fromage avant de commencer à faire une partie de soccer, car il n'est pas question qu'il tombe dans les pommes parce que son taux de glucose est trop bas ! Entre deux bouchées, le garçon raconte la rencontre d'hier avec monsieur Tinamous.

— Quand mon père est arrivé du travail, tout était presque réglé. Il n'a pas eu grand-chose à dire, mon petit papa, ricane Elliot.

— Elle est vraiment géniale, ta mère, dit Marine d'une voix admirative.

— Hum... ça dépend, marmonne Elliot. Mais oui, en général elle est pas mal.

— Elle a juste de drôles d'idées, continue Arthur en replaçant ses cheveux... parfaitement coiffés... Il connaît bien Julie, la mère d'Elliot, car il soupe chez son ami au moins deux fois par semaine. Quand ça va mal chez lui – ce qui arrive assez souvent ces temps-ci –, c'est chez son meilleur ami qu'Arthur se réfugie.

— La famille vient de la Côte d'Ivoire et est arrivée à Montréal il y a moins d'un mois, explique Elliot.

— C'est où exactement, la Côte d'Ivoire ? demande Marine qui trouve cette histoire très passionnante. Elle s'intéresse à tout ce qui touche l'aide humanitaire, les pays pauvres et l'environnement. Les autres membres du groupe la surnomment « mère Teresa[1] » parce qu'elle est toujours attentive à tout le monde.

— Hum… Elliot essaie de répéter les paroles exactes de monsieur Tinamous

---

1. Mère Teresa (1910-1997) : religieuse catholique qui a consacré sa vie aux pauvres, aux malades et aux laissés pour compte. Elle est devenue un modèle de bonté mondial.

afin de ne pas induire ses amis en erreur. Avec ses deux mains, il fait toutes sortes de gestes pour expliquer où se situe ce pays africain.

— C'est à l'ouest de l'Afrique, à peu près... heu... au milieu du continent en fait, mais au bord de la mer.

— C'est clair comme de l'eau de roche, ricane Arthur.

— Ah, j'abandonne ! marmonne son ami vexé en se levant.

Marine attrape Elliot par la manche.

— Non, non, moi, je veux savoir.

— En tout cas, pas maintenant, Marine, parce que la récréation est finie !

— Ah, zut ! marmonne Chico, on n'a même pas eu le temps de faire une partie ! C'est poche !

Le midi, Marine et Arthur vont manger chez Elliot. Ils en profitent pour regarder l'atlas avec Julie, qui est très contente d'expliquer son nouveau projet. Elle pointe le continent africain, qui est plus large au nord qu'au sud.

— Au nord de l'Afrique, il y a les pays comme le Maroc, l'Algérie, la Tunisie...

— Hé, ma grand-mère est déjà allée là-bas, il me semble, coupe Arthur...

— Ce n'était pas en Tanzanie ? demande Marine, férue de géographie.

Arthur frotte sa chevelure blonde avant de répliquer, piteux :

— Peut-être bien... Je ne sais plus trop...

Elliot et Marine échangent un regard amusé. Ils reportent leur attention sur la page de l'atlas. Julie descend jusqu'à la pointe sud.

— Là, c'est l'Afrique du Sud, où il y a longtemps eu des conflits entre les Blancs et les Noirs. C'est là que...

— Nelson Mandela était président ? interroge de nouveau Marine.

Julie lui fait un clin d'œil avant d'acquiescer.

— Tu as bien suivi tes cours d'histoire-géographie, ma chérie. Oui, c'est là.

— O.K., alors c'est de là que vient la famille que vous allez accueillir ? demande Arthur.

Les trois autres secouent la tête en riant.

— Pas vraiment. La Côte d'Ivoire se trouve ici !

— GÉNIAL ! s'écrie Marine alors qu'Arthur baye aux corneilles. Comme tu as de la chance, Elliot, que tes parents fassent des choses comme ça !

Julie sourit avant de refermer l'atlas.

— Tu pourras nous accompagner, si tu veux, quand on rencontrera la famille Mamadou, dit-elle à la jeune fille.

— Ha ! ha ! ha ! MAMADOU ! C'est donc bien drôle comme nom ! éclate Arthur d'un ton moqueur. MAMADOU ! Comme il se rend tout à coup compte qu'il est le seul à rire, il rougit de nouveau comme une pivoine et tente vainement de se reprendre.

— Bof... en fait ce n'est pas si... bon, on y va, les copains parce que la cloche du dîner sonne dans trente minutes.

Chapitre 3

La rencontre

Pendant le reste de la semaine, Julie organise la première rencontre avec la famille Mamadou. Celle-ci est composée de cinq personnes : le père, Kouamé Mamadou, la mère, Jeanne Mamadou, leur fille Aya, treize ans, et leurs fils Famien, onze ans, et Fôté, cinq ans. C'est finalement le samedi après-midi qu'a lieu la première rencontre. Elliot aurait voulu être ailleurs, tandis que Marine aurait aimé être présente. Arthur et le reste de la bande se retrouvent au parc où ils font une partie de hockey.

— O.K. Julie, calme-toi ! répète Simon pour la centième fois de la semaine.

Elliot regarde sa mère marcher de long en large dans le salon. Elle s'arrête de temps en temps pour se ronger un ongle ou pour interroger Simon :

— Tu penses qu'on devrait mettre le divan devant la fenêtre ou le laisser là ?

— Julie, pourquoi veux-tu changer les meubles de place maintenant ?

— Bien, je me disais que si on plaçait les deux divans face à face plutôt que… et puis non ! laisse tomber. Je suis juste un peu stressée !

— Un peu, marmonne Elliot couché sur le sofa gris.

Sa mère lui lance un regard noir.

— ELLIOT ! Tu sais comment cette rencontre avec la famille Mamadou est importante pour moi !

Simon lui prend la main affectueusement. Au même moment, la sonnette de la porte retentit dans la maison. Julie sursaute :

— Les voilà !

— Tout ira bien, tu vas voir mon cœur, dit Simon en souriant pour la rassurer. En s'avançant vers la porte d'entrée, il fait signe à Elliot de se lever pour accueillir leurs hôtes.

Le garçon pousse un long soupir en regardant la neige qui tombe par la fenêtre. Il préférerait être à cent mille lieux de là ! Il se plonge dans ses pensées tout en écoutant les murmures émanant de l'entrée. Tout à coup, il sort de sa rêverie, la bouche et les yeux grands ouverts.

— Oh ! là, là ! murmure-t-il pour lui-même.

Sa mère vient de pénétrer dans la pièce suivie du plus grand homme noir que le garçon ait jamais vu. Il y a le géant vert sur les conserves de petits pois, et Elliot est en présence du géant noir ! L'homme porte un gros manteau noir en fourrure qui lui descend jusqu'aux genoux, avec des manches en cuir. Il a un sourire flamboyant sur le visage et ses dents sont tellement blanches que le garçon n'ose pas sourire !

— Bonjour jeune homme. Je suis Kouamé Mamadou.

Échaudé par la poignée de main de monsieur Tinamous, Elliot hésite avant de tendre la main. Mais il n'a pas vraiment le choix : ne pas tendre la main serait impoli. Alors, il ferme un peu les yeux et glisse sa main dans celle de l'homme. Ouf, sa main est épargnée ! Le serrement n'est pas trop fort !

— Heu… moi, je m'appelle Elliot.

— Je l'avais deviné. Voici ma femme, Jeanne.

Elliot trouve la femme de Kouamé très jolie. Elle a la peau couleur café au lait et de grands yeux marron bien maquillés.

Sur sa tête, elle porte une espèce de turban bariolé mauve et noir. Elle n'a pas encore enlevé son manteau d'hiver, dont elle serre les pans contre sa poitrine.

— Vous avez froid, madame Mamadou ? demande Simon en souriant.

— J'ai toujours, toujours, toujours froid, répond la femme en éclatant d'un grand rire contagieux, car, aussitôt, son mari éclate aussi de rire, alors qu'Elliot se demande ce qui a pu déclencher une telle hilarité. Discrètement, il jette un coup d'œil à la fermeture éclair de son pantalon. Sait-on jamais ? Mais il se rassure, tout est fermé. Ce n'est donc pas de lui qu'on rit ainsi. Monsieur Kouamé commence à parler :

— Ma Jeanne, elle a froid depuis le premier jour où nous avons mis les pieds au Canada.

Jeanne rit encore en prenant place sur le divan, à côté d'Elliot, qui se recroqueville dans un coin.

— C'est parce que moi, à Bouaké, je n'ai jamais eu froid de ma vie ! s'exclame-t-elle.

Et voilà ! pense Elliot, c'est reparti ! Il reporte son attention sur sa mère.

— Vos enfants ne sont pas avec vous ? demande cette dernière un peu déçue.

— Non… hi, hi, hi… pour la première rencontre, on a préféré venir seuls parce que Fôté aurait pu vous effrayer !

— Arrête, ma Jeanne, ils vont penser que notre garçon est un monstre.

— Mais non, Koukou, c'est une blague !

Les parents d'Elliot se lancent un regard interrogatif. Koukou ? Cette dame semble être un sacré numéro ! Lorsqu'elle parle, elle a un accent chantant qui donne envie de… chanter ! Simon décide de prendre les choses en main afin d'en savoir plus sur leurs nouveaux convives.

— Madame Mamadou, je vous offre un café ?

— Ah, ce n'est pas de refus, dit-elle, toujours avec le sourire.

À ses côtés, Elliot est en phase d'observation. Il est fasciné par le turban qu'elle porte sur la tête et lorsqu'elle enlève son manteau d'hiver, il s'aperçoit qu'il cachait une superbe robe mauve qui va jusqu'à terre.

— Waouh ! Votre robe est très jolie Jeanne, s'exclame Julie. Vous permettez que je vous appelle Jeanne ?

— Mais bien sûr, Madame…

— Mais alors vous m'appelez Julie, c'est obligé ! dit la mère d'Elliot en lui tendant une tasse de café.

Pendant une heure, Elliot écoute et réfléchit à la situation. Les adultes ne font pas attention à lui et c'est tant mieux. Il peut donc en profiter pour analyser la situation :

1) Monsieur Kouamé (ou *Koukou*, comme le surnomme sa femme) est affable

et reposant. Il était imprimeur à Bouaké, leur ville d'origine.

2) Madame Jeanne (ou *ma Jeanne,* comme l'appelle son mari) est survoltée et enthousiaste. En Côte d'Ivoire, elle était secrétaire dans la même imprimerie que Kouamé.

— C'est comme ça qu'on s'est rencontrés ! dit-elle.

— Oh… c'est une belle façon de tomber amoureux ! renchérit Julie.

Aussitôt, Jeanne secoue la tête.

— Non, non, nous ne sommes pas tombés, dit-elle perplexe.

Elliot rigole et écoute sa mère expliquer l'expression *tomber amoureux.* Au terme de cette rencontre, il est entendu que lors de la prochaine visite, les trois enfants du couple seraient présents.

* * *

Le lendemain, un Elliot désespéré explique à ses amis :

— Le pire, c'est que ma mère a décidé que ce serait une excellente idée que la famille Mamadou vienne passer une fin de semaine au chalet. Alors, vendredi soir, on part pour trois jours, puisque lundi sera une journée pédagogique.

— Oh, cool ! s'exclame Marine d'une voix rêveuse.

Elliot lui jette un regard de travers.

— Je te laisse ma place si tu veux !

Marine se mord les lèvres avant de poser une question :

— Penses-tu que ta mère me laisserait vous accompagner ? J'ai tellement envie de les rencontrer et de connaître d'autres cultures...

Arthur se rapproche de ses deux amis :

— Dans le fond, si ta mère veut que la famille Mamadou apprenne à connaître les Québécois, elle devrait tous nous emmener à votre chalet ce week-end ! déclare-t-il, plus ou moins sérieux.

Le visage d'Elliot s'illumine. Il est ravi.

— Quelle bonne idée tu as là, mon Tutur ! Qui peut venir passer cette fin de semaine au chalet ?

Dans le groupe, trois mains se lèvent : celle de Marine évidemment, de Chico et d'Arthur, bien qu'à contrecœur... Il n'avait pas prévu la réaction de son ami. Quant à Elliot, il se demande s'il a bien fait d'inviter ses amis. Comment va-t-il pouvoir expliquer cette invitation de dernière minute à sa mère ? Mais tant pis, c'est trop tard. Toutefois, elle ne trouvera peut-être pas cette idée si bonne que ça !

Et comme il se l'était imaginé, lorsqu'Elliot aborde la question au souper, sa mère réagit vivement :

— Il n'en est pas question !

Aussitôt, sans se décontenancer, le

garçon use de tout son charme pour lui faire changer d'idée.

— Mais pourquoi pas, maman? réplique-t-il en empoignant un torchon pour aider son père à essuyer la vaisselle.

— D'abord, si ta bande de copains est là, tu ne t'occuperas pas du tout des enfants de Kouamé et de Jeanne.

— Pas du tout! Au contraire, à sept, tu imagines les batailles de boules de neige qu'on va pouvoir faire! Elliot met autant d'énergie dans ses paroles que dans son action. D'ailleurs, sa mère fronce les sourcils en le regardant faire.

— Depuis quand fais-tu la vaisselle, toi?

— Je la fais souvent, maman, voyons!

— Sans qu'on te le demande? Jamais, tu veux dire! réplique Julie en souriant légèrement. Elle connaît son fils et le voit venir à des kilomètres. C'est gentil mon ange, continue-t-elle, mais je ne changerai pas d'avis.

Elliot fait la moue et continue à chercher les arguments les plus convaincants. Il pense à sa professeure qui leur a expliqué comment faire pour convaincre un Inuit d'acheter un réfrigérateur !

— Des arguments fracassants, a-t-elle dit. Des arguments impossibles à nier. Voilà ce qu'il vous faut !

Alors, entre deux casseroles, Elliot cherche donc les arguments les plus convaincants qu'il puisse trouver. Au moins si son père voulait bien l'aider ! Mais non, il lave la vaisselle, le regard rêveur. Parfois, Elliot a l'impression que son père vit sur une autre planète. D'ailleurs, il décide de le tester, pour voir.

— Et toi, papa, qu'est-ce que tu en penses ?

— Hein ? Qu'est qu'il y a ? demande Simon en sursautant légèrement.

Elliot soupire. Il adore son père, mais franchement, comme complice, on peut trouver mieux.

— Rien, rien, mon petit papa... Maman, écoute bien.

— Ça ne sert à rien, coupe sèchement sa mère, je ne suis pas d'accord.

Elliot lève son torchon à vaisselle.

— Tut, tut, tut... on ne coupe pas la parole, maman chérie. Alors, je disais, si Marine, Arthur et Chico nous accompagnent au chalet, je te jure que les enfants Mamadou vont s'amuser comme des fous et découvrir bien plus de choses que juste avec moi. En plus, maman, tu rendrais Marine tellement heureuse ! Elle n'arrête pas de nous dire qu'elle veut adopter un enfant d'Afrique !

— Aux dernières nouvelles, Aya, Famien et Fôté ne sont pas orphelins, ricane Julie.

Elliot lui lance un regard fâché.

— Tu sais ce que je veux dire. Elle adore les cultures étrangères et voudrait vraiment nous accompagner. En fait, c'est elle qui en a eu l'idée.

— Ah bon ! répond Julie surprise, car la Marine qu'elle connaît est quand même assez timide. Mais elle revient vite de son étonnement. Je me vois mal expliquer à Kouamé et Jeanne que nous serons autant.

— Hum... maman ! Je ne connais pas tant de choses sur l'Afrique, mais il me semble qu'une des ca-rac-té-ris-ti-ques...

— Tu sors tes grands mots, rigole Julie, charmée.

— ... de l'Afrique, continue Elliot en lui lançant un regard encore plus noir, c'est que les habitants vivent tous près les uns des autres. Ils s'entraident et s'occupent des enfants du village tous ensemble...

Julie reste sans voix et écoute les autres arguments de son fils. Elle n'a pas de réponse devant cette audace inhabituelle. Simon, qui a fini la vaisselle, suit la conversation avec intérêt. Il trouve que son fils prend beaucoup d'initiatives dernièrement. Depuis qu'il a accepté le diagnostic de son diabète juvénile, il a acquis beaucoup de maturité.

— En plus, on pourrait glisser, faire un fort, jouer à la cachette derrière le chalet. Imagine comme ils vont bien plus s'amuser que si j'étais seul avec eux...

— Oui, mais... Julie cherche des réponses pour justifier encore son refus, mais elle se retrouve à court d'arguments. J'ai peur que tu ne t'occupes pas vraiment d'eux si tes amis sont avec toi. Les trois enfants ne nous connaissent pas du tout, et si on arrive en groupe, ils pourraient être effrayés !

Elliot, qui sent la faille dans la carapace tenace de sa mère, en profite aussitôt.

— Maman, Marine va beaucoup mieux s'entendre avec Aya que moi. Comme ça, les garçons vont pouvoir jouer avec nous, et Marine et Aya vont pouvoir échanger des potins de maquillage !

Elliot s'en veut un peu de dire cela à propos de Marine, qui n'est pas du tout superficielle, mais il cherche seulement à convaincre sa mère et en plus, c'est pour Marine qu'il le fait !

— Laisse-moi en parler avec ton père et je te donnerai une réponse plus tard, déclare finalement Julie.

Simon, qui connaît bien sa femme, sourit et fait un clin d'œil à son fils. Partie gagnée ! pense Elliot, très fier de ses capacités de persuasion.

CHAPITRE 4

Une fin de semaine au chalet

La famille Mamadou arrive comme prévu le vendredi suivant. Elliot, Arthur et Chico, le nez contre la fenêtre, sont morts de rire.

— Hi, hi, hi ! POURQUOI KOUAMÉ PORTE-T-IL UNE ROBE ? hurle Chico.

— Ha, ha ! REGARDEZ SUR LA TÊTE DE LA DAME ! ELLE CACHE QUOI DANS SON TURBAN ? rigole Arthur.

— Ha, ha, ha ! éclate Elliot. Avant de pouvoir renchérir, il reçoit une claque en arrière de la tête. OUCH ! Qu'est-ce qui te prend ? demande-t-il à Marine qui est derrière lui, les mains sur les hanches.

— Non, vous trois, qu'est-ce qui vous prend ? Vous ne savez pas vivre, dites donc ? Qu'est-ce qui vous prend de rire des gens comme ça ?

Marine est noire de colère. Elle foudroie ses amis du regard. Ces derniers se sentent petits, petits dans leurs pantalons. Les trois garçons se rassoient dans le canapé et se retournent dos à la fenêtre.

— Calme-toi, Marine, dit Arthur. C'est juste comique.

— Non ! Vous êtes stupides ! Vraiment stupides. Imaginez que vous alliez en Afrique avec votre belle peau blanche transparente, vos grosses espadrilles et vos chandails de marque. Et là, on éclate de rire en vous voyant débarquer parce que vous n'allez pas du tout avec le décor du pays. Et là...

Elliot lève la main droite en souriant piteusement.

— O.K., Marine, je pense qu'on a compris le message.

— Oui, renchérit Chico, mais ce n'était pas pour rire d'eux...

— Ah non ? coupe Marine

— C'était juste comique. On est désolés, Marine !

Marine est sur le point de répondre lorsque la sonnette de la porte d'entrée résonne. Julie arrive en courant dans le corridor.

— Ils sont arrivés ! crie-t-elle à Simon et aux enfants.

Les voix sont vives dans l'entrée. Les quatre amis attendent sagement dans le salon. Lorsque Jeanne et Kouamé arrivent dans la pièce, ils s'avancent directement vers Elliot et lui font la bise : *smack, smack, smack,* trois fois pour Kouamé, et *smack, smack, smack,* trois fois pour Jeanne. Le garçon reste figé sur place pendant que ses copains rient sous cape. Stoïque, il se ressaisit pour présenter ses amis :

— Heu… bonjour Kouamé, bonjour Jeanne. Je vous présente mes amis qui vont venir avec nous au chalet. Le grand roux, c'est Arthur !

Le garçon s'avance, la main tendue, mais c'est peine perdue !

Smack, smack, smack, trois bisous de Kouamé, et *smack, smack, smack*, trois autres de Jeanne.

— Lui, c'est Chico, ou Marc-Antoine si vous préférez, mais personne ne l'appelle comme ça.

Et de nouveau : *smack, smack, smack*, trois fois pour Kouamé, et *smack, smack, smack*, trois fois pour Jeanne.

Elliot n'en peut plus de se retenir devant les visages abasourdis de ses deux amis. Il tend la main vers Marine et dit, la voix tremblotante :

— Elle… c'est, hi, hi, hi ! Marine.

Smack, smack, smack, trois fois pour Kouamé, et *smack, smack, smack,* trois fois pour Jeanne.

Alors qu'Arthur et Chico sont rouges comme des tomates, Marine semble comme un poisson dans l'eau. Elle commence à discuter avec les deux Ivoiriens lorsque tout à coup, Elliot s'exclame :

— Où sont Aya, Famien et Fôté ?

— Oh, monsieur Tinamous va les amener après l'école, d'ici trente minutes. Ils vont dans la même école que son garçon.

— Oh...

Marine a tellement hâte de les rencontrer qu'elle est un peu déçue de l'attente. Tant pis, elle peut patienter.

Enfin, lorsque la porte sonne de nouveau, exactement trente minutes plus tard, c'est elle qui fonce vers l'entrée. Elle ouvre la porte en grand et réalise ensuite qu'elle n'est pas chez elle et que les gens à la porte n'ont aucune idée de son identité... Elle se met alors à rougir et à balbutier :

— Heu… hum… bonjour, je suis, enfin j'avais hâte et…

Elliot vient à sa rescousse :

— C'est mon amie Marine. Elle avait tellement hâte de vous rencontrer qu'elle en a perdu ses bonnes manières, se moque le garçon.

Un petit bonhomme haut comme trois pommes s'élance sur Elliot, qui tombe à la renverse.

— Elliot, moi, c'est, Fôté ! Es-tu content de me voir ?

Pendant que Kouamé et Jeanne se confondent en excuses et réprimandent leur cadet, Marine tombe sous le charme du petit Ivoirien. Il a un visage rond comme la lune. Deux grands yeux noirs et vifs éclairent cette charmante petite frimousse, mais surtout, Fôté sourit tout le temps d'un sourire qui laisse découvrir qu'il lui manque plusieurs dents.

— Je m'excuse Elliot, dit-il en riant à pleine bouche. Est-ce que je t'ai fait mal ?

Même Elliot ne peut résister et il fait signe que non, même si ses fesses pensent le contraire ! Derrière les adultes qui discutent dans l'entrée, deux adolescents attendent patiemment d'être présentés. Elliot, qui voudrait bien partir pour le chalet, s'avance vers eux :

— J'imagine que toi, tu es Famien ? dit-il à un garçon d'environ son âge.

— Hum !

Elliot fronce les sourcils devant le visage renfrogné du grand frère de Fôté. Il n'a pas l'air commode, pense-t-il.

— Tu veux entrer ?

— Non. Ça va. J'attends ici.

— Bon.

Elliot s'avance donc vers la très jolie jeune fille. Celle-ci ressemble beaucoup à

Jeanne, mais est habillée de jeans, d'une veste de coton ouaté et de bottes courtes. Sur ses tresses noires, elle a posé une tuque rose qui lui donne beaucoup de charme.

— Tu es Aya, j'imagine ?

— Oui. Et toi, c'est Elliot. Je suis enchantée, dit-elle d'une voix toute douce.

Chico et Arthur sont tout de suite sous le charme de la belle Aya. Incapables de dire un mot, ils reculent jusqu'au salon et s'assoient calmement dans le canapé. Elliot secoue la tête et fait un clin d'œil à Marine qui tend la main à Aya.

— Je m'appelle Marine et je suis la meilleure amie d'Elliot. Nous partons avec vous au chalet. Vous verrez, des batailles de boules de neige, c'est magique !

— Oh, moi j'aime les magiciens ! crie Fôté.

Tout le monde éclate de rire, sauf Famien qui garde son air buté. Julie et

Simon s'échangent un regard inquiet. Saura-t-il se mêler aux autres ?

Le trajet entre la maison des Beaudoin et leur chalet dure un peu plus d'une heure. Dans le véhicule familial, Simon s'est installé avec Kouamé et les garçons. La voiture de Julie transporte donc la gent féminine.

Durant le voyage, le petit Fôté met de la bonne humeur. Chaque fois qu'il voit une déneigeuse, une remorqueuse ou une voiture en panne, il crie à pleins poumons :

— Oh là ! C'est la neige qui fait tout ça ?

Il adore parler. Pendant toute la durée du trajet, il ne ferme pas la bouche, sauf lorsque son grand frère lui dit :

— Tu la fermes un peu ? J'en ai marre de t'entendre.

Kouamé se retourne aussitôt et interpelle son fils. Il lui lance des paroles sèches dans un dialecte qu'aucun des enfants québécois ne reconnaît, mais c'est assez pour que Famien se taise et se retourne vers la fenêtre sans broncher jusqu'à leur arrivée.

Chapitre 5

Famien le mystérieux

— Psst… Elliot, il est toujours comme ça, Famien ? chuchote Chico lorsqu'ils descendent de voiture devant le chalet.

Elliot hausse les épaules.

— Aucune idée ! C'est la première fois que je le vois.

— En tout cas, continue Arthur, ça promet. Il a l'air joyeux comme tout d'être parmi nous...

Elliot lance un regard vers le grand garçon noir qui ne prend même pas la peine de regarder le paysage, pourtant magnifique. Lorsque ses parents ont fait l'achat de cette maison, il y a trois ans, Elliot n'avait jamais mis les pieds à la campagne. Dès les premiers instants, il est tombé amoureux de cet endroit, sur le bord de la rivière Mastiguache. Il se dit que personne ne peut rester indifférent devant tant de beauté, alors il court rejoindre Famien.

— Tu as vu comme c'est beau, dit-il en montrant le décor enchanteur.

Les grands sapins et les feuillus dépouillés se balancent doucement au gré du vent. La neige fraîchement tombée pendant la nuit les couvre d'un joli manteau blanc. Tout au fond, le chalet de bois, avec sa grosse cheminée de pierres des champs, semble appeler au calme et au repos.

Pour ne pas être impoli, car son père le regarde, Famien fait signe que oui tout en continuant à avancer sans s'arrêter. Mais Elliot ne lâche pas prise.

— Et puis écoute, continue le garçon. On entend la rivière au loin. Elle n'est pas encore gelée. On pourra aller la voir si tu veux !

Simon s'avance et le prend par les épaules.

— Ça me surprendrait que vous puissiez y aller, mon cher. Il n'en est pas question, c'est bien trop dangereux, c'est bien compris ? dit-il en s'adressant à tout le monde.

Elliot hoche la tête. Il connaît les dangers des cours d'eau. Fôté, quant à lui, saute partout comme un petit fou. Il s'élance et s'attaque à la plus grosse montagne de neige.

— OH, MAMAN ! REGARDE MAMAN ! JE SUIS LÀ ! crie-t-il à sa mère qui vient de descendre de la voiture.

Aussitôt, Marine s'élance vers le petit garçon.

— Regarde Fôté, je vais faire la plus grosse boule de neige que tu n'as jamais vue !

Et Marine se met à rouler, rouler, rouler une boule jusqu'à ce que celle-ci soit de la taille du petit garçon. Il rit. Fôté et ses grosses joues rondes laissent voir deux mignonnes fossettes. Marine se tourne vers Arthur et Chico qui se sont approchés.

— Oh, il est tellement mignon !

— Peut-être, répond Chico en levant les yeux au ciel, mais en attendant, je crois qu'il a une envie pressante, ton nouvel ami !

Fôté se tortille dans tous les sens et s'élance vers le chalet sous les rires des grands. Pendant ce temps, Elliot essaie d'intéresser Famien aux joies de l'hiver. Mais c'est peine perdue.

— Ouf, marmonne Elliot en s'approchant de ses amis, ça promet !

— Pourquoi ? demande Chico en sautant sur la boule de Marine.

— Tu n'as pas remarqué ? Il n'a pas ouvert la bouche du voyage et en plus, il ne s'intéresse à rien du tout. Je sens qu'on va rire avec lui !

— C'est poche !

Elliot ne comprend pas cette attitude.

— Laisse-lui le temps, dit Simon. Il ne nous connaît pas, c'est normal.

— Bof, connaît, connaît pas ! Il pourrait au moins apprécier les lieux, marmonne Elliot en se dirigeant vers la porte d'entrée.

À l'intérieur, Kouamé et Jeanne sont déjà installés devant le foyer. La femme grelotte, mais reste toujours souriante.

— Votre chalet est magnifique, lance-t-elle à Elliot qui retrouve le sourire. Mais j'ai froid ! Ho ! là, là ! J'ai froid !

Kouamé lui frotte les épaules et Fôté, qui s'est glissé sur les genoux de sa mère, semble hypnotisé par les flammes orangées. Aya s'assoit auprès de sa mère et se colle à elle.

— C'est beau, déclare-t-elle. En Côte d'Ivoire, quand on fait un feu, c'est pour préparer la nourriture. Je n'avais jamais vu un feu dans une maison. J'aime ça.

— Tu faisais la nourriture dehors dans ton pays ? demande Marine en s'approchant.

La douce Aya hoche la tête.

— En fait, pas toujours, mais lorsqu'il fait très très chaud…

— … ce qui est presque tout le temps, coupe Jeanne en rigolant.

— … lorsqu'il fait très chaud, on délaisse la cuisinière de la cuisine et on s'installe dans la cour.

Marine, qui ne demande qu'à en apprendre plus, s'installe plus confortablement.

— Est-ce que je peux te demander quelque chose ?

— Bien sûr.

— Qu'est-ce que vous mangez dans ton pays ? Je veux dire, est-ce que vous avez de la pizza, du poulet…

Marine devient rouge sous les regards des Ivoiriens. Elle espère qu'elle n'a blessé personne. Mais la réponse de sa nouvelle amie la rassure.

— Hum... de la pizza ? Pas vraiment. Du poulet, oui, mais pas comme chez vous. Maman a une très bonne recette de poulet qui s'appelle le *kédjénou*….

— Ah bon ! coupe Julie qui entre au même moment dans le salon, peut-être que Jeanne aurait envie de nous faire cette recette ?

Jeanne comme à son habitude, éclate de rire.

— Moi, je veux bien, commence-t-elle, il faut juste me trouver des feuilles de bananier !

En voyant l'expression qui se peint sur

tous les visages des Québécois, la famille ivoirienne éclate de rire. Ils n'arrêtent plus, même Fôté, qui participe à l'euphorie sans savoir pourquoi et qui rit le plus fort. Seul Famien reste renfrogné dans son coin contre le mur.

— Oui, pour les feuilles de bananier, je crois que ce sera assez difficile au Québec ! Par contre, dites-nous à quoi servent les feuilles dans cette recette.

Jeanne explique que la feuille de bananier, qui peut mesurer jusqu'à un mètre, sert à enrober des morceaux de poulet et des légumes. Marine prend un air rêveur…

— Dommage, j'aurais bien aimé goûter cette recette. Essayons de voir si vous pouvez nous concocter autre chose. Vous mangiez quoi d'autre ? demande la jeune fille plus du tout intimidée.

Aya réfléchit pendant quelques secondes et un grand sourire illumine son visage.

— Eh bien, une sorte de légume qui s'appelle igname. Ça ressemble à une grosse patate et on la mange avec des tomates et des oignons, ou pour accompagner du poisson.

Marine secoue la tête.

— Ça non plus, je ne crois pas qu'on en ait ici, n'est-ce pas Julie ? demande-t-elle à la mère d'Elliot.

Julie secoue sa tête bouclée.

— Non, pas ici ! Mais à Montréal, dans une épicerie exotique...

— C'est poche ! dit Chico qui n'a pas parlé depuis dix minutes. Un record en ce qui le concerne !

— Moi, j'aime le riz à la cannelle avec de l'agouti ! crie Fôté qui commence à avoir faim.

— Ah, ça, du riz à la cannelle, on pourrait en faire, dit Simon. Par contre, de l'ag... hum, l'a...

— L'agouti, reprend Jeanne.

— J'ignore ce dont il s'agit, continue Simon.

Kouamé prend la parole pour expliquer qu'il s'agit d'un animal.

— L'agouti est un rat de la brousse dont le goût est semblable à celui du lapin.

La grimace de dégoût de Chico et Arthur n'échappe pas à Famien qui se lève en faisant tomber sa chaise. Un peu mal à l'aise, les deux garçons rougissent et perdent contenance.

— Désolé, marmonne Chico.

— Oui, renchérit Arthur.

Simon décide de justifier leur réaction.

— C'est qu'ici, le rat n'est pas un animal que l'on mange. On le voit plus dans les poubelles, dans les endroits malpropres…

— Ah bon ?

Kouamé et Jeanne sont à leur tour surpris.

— Pour nous, l'agouti est un animal propre et sans maladie. Mais de toute façon, ce repas-là non plus n'est pas possible ici ! dit Kouamé en faisant un clin d'œil aux garçons soulagés. Chico répond pour ses amis :

— Oui, mais le riz à la cannelle, moi, j'aimerais bien l'essayer !

Jeanne reprend la parole en se levant :

— Si tu veux, demain, je vous fais du *foutou* avec des bananes. Avec de la sauce à l'arachide sur de la viande ou du poisson, il n'y a rien de meilleur !

— Et comme dessert ? demande Elliot avec gourmandise.

— Souvent, on mange des fruits tropicaux comme la mangue ou la papaye. Mais si je trouve des bananes, je peux vous faire du *n'voufou*. C'est à base de purée de bananes…

Les enfants salivent déjà. Alors Simon lance en rigolant :

— C'est bien beau tout ça, mais pour les adultes, est-ce qu'il y aurait une petite boisson spéciale qui nous vient de Côte d'Ivoire ?

Tout le monde éclate de rire.

— Moi, je bois du *bangui*, mais comme c'est fait à partir de la sève de palmier…

Simon fait mine d'être très déçu de la réponse de Kouamé

D'un ton moqueur, Julie pointe de l'index les gros sapins enneigés à travers la fenêtre. Simon hausse les épaules.

— On peut peut-être te faire quelque chose à base de résine de sapin, mon amour…

Simon fait une grimace amusée à sa femme et reporte son attention sur Kouamé qui continue :

— Par contre, j'ai dans mes bagages quelques bières ivoiriennes. C'est la bière *Flag* et vous m'en donnerez des nouvelles !

La discussion continue tranquillement. Depuis quelques minutes, Marine s'inquiète de ne pas voir revenir Famien. Il est parti dans sa chambre, mais elle aimerait bien qu'il soit content d'être parmi eux. Marine a un grand cœur. Lorsqu'elle voit quelqu'un de triste, cela la chagrine aussitôt. Elle fait un signe discret à ses amis. Ces derniers se lèvent pour la suivre dans la cuisine.

— Vous ne voulez pas allez voir ce que fait Famien ? demande-t-elle aux garçons qui font une moue qui en dit long.

— Ce n'est pas gentil, il se sent sûrement mal d'être tenu à l'écart et ne sait certainement pas comment agir avec nous.

Elliot, qui se sent un peu responsable de ses invités ivoiriens, décide d'aller cogner à la porte.

— Famien ? Famien, est-ce que ça va ?

Comme il n'obtient pas de réponse, Elliot décide d'ouvrir doucement la porte de la chambre. Dans la pièce, la lumière est éteinte et le store est baissé. Mal à l'aise, il s'avance vers le lit où est allongé Famien.

— Famien, tu veux venir avec nous ? On va faire des bonshommes de neige dans la cour en attendant le souper.

— Non, grogne Famien. Je n'aime pas ça.

— En es-tu certain ? insiste Marine qui a passé sa tête par la porte entrouverte.

— J'ai dit non. Je suis fatigué, je vais dormir.

Les enfants se regardent et hésitent. Arthur prend sa voix la plus forte et dit :

— Si tu changes d'idée, tu sais où nous trouver !

Elliot referme la porte et pendant que ses copains vont mettre leur habit de neige, il va chercher Fôté et Aya au salon.

— Ça vous dirait de venir faire des bonshommes de neige dans la cour en attendant le souper ? demande-t-il aux deux enfants.

— OUI, OUI, OH, OUI ! hurle aussitôt le petit garçon, qui court dans tous les sens à la recherche de ses vêtements.

— Moi aussi, je veux bien, répond doucement Aya qui déroule sa silhouette élancée. C'est juste que…

Tous les regards se tournent vers elle. Derrière sa peau d'ébène, Marine est certaine que la belle Aya est rouge comme une tomate bien mûre !

— C'est juste que je n'ai pas de pantalon pour jouer dans la neige. Tu te rappelles, maman…

Jeanne se cogne le front.

— C'est vrai ! Le centre d'entraide nous a fourni des vêtements d'hiver, mais…

— Jusqu'à ce que nous ayons un travail, précise Kouamé, gêné d'avouer qu'ils ne peuvent pas pour l'instant acheter leurs propres vêtements.

Jeanne ne relève pas le commentaire de son mari. Elle sait qu'il doit passer par-dessus son orgueil chaque fois qu'il accepte un cadeau, un don. Il veut pouvoir subvenir à leurs besoins et il espère bien y arriver d'ici Noël.

— Donc, le centre d'entraide n'avait plus de pantalons de la taille d'Aya et nous avons oublié de repasser pour chercher la bonne taille. Zut !

Jeanne se lève aussitôt.

— Pas de problème, je dois bien avoir des habits de neige de différentes grandeurs ! lance Julie.

— C'est vrai ? Tu vois, Aya, c'est réglé !

Pour Jeanne, la vie ne cesse de leur faire des cadeaux depuis qu'ils ont quitté leur beau pays africain. La vie en Côte d'Ivoire n'était plus facile depuis la guerre civile qui a eu lieu en 2002. Même s'ils ont réussi à tenir le coup pendant quelques années, la clientèle de l'imprimerie où Jeanne et Kouamé travaillaient était en chute libre. Jeanne a perdu son travail, puis Kouamé.

Ils ont choisi le Canada, car à l'imprimerie de Bouaké, leur ville natale, ils avaient rencontré Jean-Paul, un coopérant canadien aujourd'hui décédé. La bonté et le grand cœur de cet homme leur ont donné envie de connaître le peuple québécois.

— Allez ouste, les enfants ! dit Julie en ramenant trois habits de neige. Dépêchez-vous de vous habiller, on mange dans une heure tout au plus.

Les enfants courent se vêtir chaudement. Simon les arrête devant la porte.

— Attendez, il manque Famien, dit-il en se dirigeant vers les chambres situées au fond du long corridor.

— Il dit qu'il n'aime pas la neige et qu'il veut dormir, répond Marine.

Kouamé et Jeanne se lancent un regard inquiet.

— Je vais aller le voir, propose Kouamé.

Sa femme acquiesce en espérant qu'il réussisse à le convaincre. Lorsqu'il revient quelques instants plus tard, il secoue la tête.

— Allez-y ! Il dit qu'il est trop fatigué.

— Peut-être après le souper alors, suggère Julie.

Les parents de Famien échangent de nouveau un regard d'inquiétude.

Chapitre 6

Le guerrier

— C'est vraiment bon, dit Aya en souriant.

— Moi, j'adore la pizza ! déclare Fôté, en étirant le fromage fondu avec ses doigts.

Sa mère lui donne une tape sur la main et le regarde avec de gros yeux.

— Laissez-le faire, rigole Julie. C'est un plaisir de le voir manger d'un si bon appétit. Tu n'avais jamais mangé de pizza, Fôté ?

Le garçonnet, trop occupé, secoue vigoureusement la tête et vide son verre de lait. Julie ne peut que remarquer que contrairement à lui, son grand frère n'a pas touché au repas. Il reste les yeux baissés sans participer à la conversation.

— Tu n'aimes pas la pizza, Famien ? lui demande-t-elle.

— Famien n'aime pas le Canada, précise alors Fôté.

— Fôté, occupe-toi de ton assiette, gronde Kouamé.

Le petit Ivoirien replonge la main dans son assiette sans se soucier du silence qui suit son commentaire. Famien se lève d'un bond.

— Je n'ai pas faim, je vais dormir. Je suis fatigué.

Sans attendre de réponse, il file. Jeanne le regarde partir les larmes aux yeux et tend la main vers son mari. Tous deux soupirent et aimeraient expliquer ce qui se passe, mais comme les enfants sont présents, ils attendent pour exprimer leur inquiétude à Julie et Simon. Lorsque les enfants quittent la table, Julie pose sa main sur celle de sa nouvelle amie.

— Famien trouve votre immigration difficile à ce que je vois.

La réaction de Jeanne la prend au dépourvu. Alors qu'elle est habituellement souriante, de grosses larmes coulent sur ses joues. Sa voix tremble lorsqu'elle tente d'expliquer la situation et c'est Kouamé qui prend la parole.

— En fait, c'est à cause de Famien que nous avons décidé de quitter le pays.

— Ah, bon ?

— En juin dernier, il a disparu pendant trois jours. Nous avons eu tellement peur que quelque chose de grave ne lui soit arrivé ! Lorsqu'il est rentré, il nous a dit qu'il quittait la maison…

— Mais il a onze ans ! s'exclame Julie.

— Oui, mais onze ans, c'est l'âge auquel les rebelles recrutent la relève…

Simon, stupéfait, demande :

— Vous voulez dire que les rebelles, les soldats qui désirent renverser le gouvernement, ont voulu l'enrôler ?

— Plus que ça. Lorsqu'il est revenu de ces trois jours d'absence, ils l'attendaient dans une voiture à notre porte. Nous avons dû nous barricader et appeler la police pour réussir à garder notre fils avec nous.

— Ensuite, notre vie est devenue un enfer. Pas une nuit sans que le téléphone ne sonne ou que l'on ne frappe à la porte. Pour les rebelles, nous aurions dû être fiers de voir notre fils combattre pour la liberté de son pays.

Les quatre adultes restent silencieux de longues minutes. Simon et Julie remercient le sort qui a fait naître leur fils au Canada. La voix tremblante de Jeanne coupe leur réflexion :

— Alors, nous avons pris très rapidement la décision de quitter le pays. Nous savions que les rebelles ne nous laisseraient jamais en paix. Pour Fôté et Aya, c'est comme une grande aventure. Mais pour Famien, il s'agit d'une trahison.

— Il nous en veut beaucoup, continue Kouamé. Il dit que nous avons gâché sa vie en l'amenant dans un pays de Blancs… désolé... murmure Kouamé.

— Il n'y a pas de mal, c'est vrai qu'on est plutôt blanc, dans ce coin ! dit Simon avec un clin d'œil. Cette remarque détend l'atmosphère et pour clore la discussion, Julie ajoute :

— À mon avis, au contact des enfants, il va s'apercevoir que vous lui avez rendu service. Donnez-lui le temps. Vous êtes arrivés ici il y a tout juste un mois.

— Je l'espère, chuchote Jeanne en prenant la main tendue. Je l'espère.

Le soir même, une fois seuls, les parents d'Elliot discutent avec lui de cette conversation. Ils lui font part de la situation et lui expliquent ce qu'a vécu Famien en Côte d'Ivoire. Pendant que sa mère raconte les détails, Elliot réagit bizarrement et reste la bouche grande ouverte.

— Alors, tu comprends, explique sa mère, que nous aimerions vraiment que tu n'en parles pas à tes amis et que vous tentiez de l'intégrer avec vous.

— Mais maman, c'est ce qu'on fait, dit Elliot. C'est juste qu'il… aïe, ah zut !

— Quoi ?

— Rien, c'est juste que je me suis manqué ! grimace Elliot en se frottant le ventre.

L'endroit où il vient d'injecter son insuline est encore rouge. Depuis un peu plus d'un an, il a appris à faire lui-même ses piqûres. En général tout se passe bien, mais parfois, il lui arrive encore de se faire mal. Pour l'expliquer, il avance à ses parents une explication on ne peut plus intéressante.

— Je crois que mes abdominaux sont

trop musclés, dit-il le plus sérieusement du monde. Riez, riez, mais regardez, je n'ai plus de graisse sur le ventre. Que des muscles ! Alors, croyez-le ou non, je peux vous jurer que ça fait mal quand je pique dans le muscle. En parlant, le garçon pince sa peau pour justifier ses propos. Sa mère ne peut s'empêcher de rire. Qui aurait cru il y a un an qu'un jour ils riraient de la maladie d'Elliot !

— Bon, continue ce que tu disais avant de te blesser à cause de tes muscles, dit sa mère moqueuse.

Un peu offusqué, Elliot réplique seulement :

— J'allais dire qu'on a essayé d'intégrer Famien, mais il ne veut rien savoir. Je vais être discret avec son secret.

Le lendemain matin, ce sont les cris de joie de Fôté et les chuchotements sévères de Jeanne et Kouamé qui réveillent la maisonnée. Chico ouvre un œil pour regarder la montre d'Arthur, couché à ses côtés.

— Zut ! marmonne-t-il, il est six heures trente.

Il essaie de se rendormir mais Elliot a déjà levé le store de la fenêtre.

— Waouh ! Génial, les gars, venez voir !

Péniblement, ses deux amis sortent de leur lit. Ils s'approchent de la fenêtre par laquelle ils découvrent la raison de cet enthousiasme.

— Waouh ! Quelle tempête !

La cour disparaît peu à peu. Les gros flocons tombent du ciel pour grossir les montagnes de neige. Les garçons tentent de paraître plus matures et de ne pas trop montrer leur excitation jusqu'à ce que Fôté ouvre la porte en courant et saute sur le lit d'Elliot.

— Vous avez vu ? Vous avez vu, les amis ? crie-t-il. Il y a tout plein de neige. Tout plein, tout plein.

— FÔTÉ ! QU'EST-CE QUE JE T'AI DIT ? interpelle Kouamé en entrant dans la chambre des garçons. Il se tourne vers les garçons qui retiennent un fou rire en voyant son pyjama. Je suis désolé. Nous avons essayé de contenir sa joie, mais il ne peut retenir son excitation !

Kouamé se met à parler dans leur dialecte, le dioula, à son fils qui se recroqueville avec une moue boudeuse. Son père lui fait signe de le suivre à l'extérieur de la chambre mais Elliot s'interpose.

— Laissez-le, Kouamé ! Nous sommes réveillés maintenant. Fôté peut rester avec nous.

— Tu vois papa ! Je te l'avais dit que les garçons ne dormaient plus, dit le gamin en riant de nouveau.

Chico lève les yeux vers le ciel en s'étirant.

— Je ne sais pas pourquoi on ne dort plus, marmonne-t-il à Arthur qui sourit.

Kouamé s'avance un peu plus et regarde Elliot calculer son taux de glycémie avec son glucomètre.

— Je ne veux pas être indiscret, mais tu fais cela tous les jours ? demande-t-il avec intérêt.

Fôté arrête de sauter sur le lit et s'assoit brusquement à côté d'Elliot. Il lui vient aussitôt des larmes aux yeux en voyant la goutte de sang perler sur le bout de l'index de son nouvel ami.

— Mais pourquoi tu piques ton doigt, Elliot ? Il ne faut pas faire ça. Ça fait mal.

Elliot sourit doucement au garçonnet et lui explique le plus simplement possible sa maladie. Kouamé hoche la tête en songeant au courage de ce jeune garçon. Il se rend compte qu'à sa façon, ce jeune Québécois vit des épreuves chaque jour. Il aimerait bien que son fils Famien assiste à la discussion, mais il a dormi sur le divan-lit dans le salon.

— Tu es certain que tu n'as pas mal? demande Fôté à moitié rassuré.

— Certain! répond Elliot en sautant sur ses pieds. Il prend le petit bonhomme sur son dos et sort en courant de la chambre. Qui m'aime me suive! crie-t-il à ses amis qui traînent les pieds derrière lui.

* * *

Après le réveil matinal de Fôté, les deux familles ont terminé de déjeuner à sept heures quarante. Les enfants n'ont plus le choix, ils doivent aller dehors sinon Fôté ne pourra plus se contenir! Il tire le bras de son grand frère affalé dans le divan.

— Allez, Famien! Viens.

Le jeune garçon semble sans énergie, inerte et complètement désintéressé par ce qui se passe autour de lui. Fôté continue de sautiller à ses côtés en le harcelant joyeusement:

— Viens, viens, viens, Famien. Je veux…

— LAISSE-MOI TRANQUILLE ! crie Famien en regardant enfin son petit frère. Il se lève d'un bond pour fuir le salon. Tout le monde est resté bouche bée par son cri. Avant que Kouamé n'ouvre la bouche, Fôté crie très fort en pleurant :

— TU ES MÉCHANT, FAMIEN. JE NE T'AIME PLUS !

Il court se jeter dans les bras de Jeanne qui lance un regard d'excuse à ses hôtes. Un peu dépassés par les événements, Simon et Julie lui font signe de ne pas s'en faire. Ils sont compréhensifs. Comme Elliot n'a pas mis ses amis au courant du passé de Famien, ils trouvent que ce dernier est bien méchant avec son petit frère. Kouamé a disparu en même temps que son fils aîné. Toute l'excitation du matin s'est évanouie, et les enfants s'habillent en silence. Marine réussit à faire sourire Fôté en lui disant gentiment :

— Si tu veux, je te montrerai comment faire des anges dans la neige.

— Des anges ? Oh, oui ! Moi, je veux faire des anges.

Chapitre 7

Jeux de neige

Une fois emmitouflés, les enfants se précipitent à l'extérieur. Aya et Fôté, qui vivent leur première tempête, restent abasourdis par la force du vent et par les flocons qui virevoltent au-dessus de leur tête. Marine s'approche d'eux :

— Moi, j'aime bien tirer la langue et attraper les flocons au vol !

Elle joint le geste à la parole tout en fermant les yeux. Amusés, Aya et Fôté l'imitent pendant que Chico, Elliot et Arthur commencent la construction d'un fort. Toute la matinée passe à la construction de deux solides forts pour la super bataille de boules de neige programmée après le repas. À un moment donné, Arthur questionne Elliot :

— Il est bizarre Famien, tu ne trouves pas ?

— Hum... répond Elliot, qui suit les recommandations de sa mère.

— C'est poche ! Moi, je ne le trouve pas très sympathique, continue Chico. En tout cas, en comparaison de son frère et de sa sœur…

Il laisse ses paroles en suspens et montre Fôté du doigt :

— Regarde comme il s'amuse dans la neige. Qu'il est drôle !

Fôté est en train de faire un ange en suivant les instructions de Marine. Il rit de recevoir les flocons froids dans le visage. Sur le tapis blanc, le petit bonhomme emmitouflé rit aux anges. Il gigote dans tous les sens pour se relever. Il se tourne et part vers le fort des garçons.

— J'AI FAIT UN ANGE, J'AI FAIT UN ANGE ! Venez voir, les garçons !

Il prend Chico et Elliot par la main et appelle Arthur. Le plaisir est roi dans la cour recouverte de son tapis neigeux. Personne ne voit le store de la petite chambre du fond se soulever. Famien regarde le groupe s'amuser. Il ne pense à rien, pour une fois. Les jours précédant son départ de Bouaké sont toujours présents dans sa tête. À chaque instant, il pense à ce groupe de rebelles qu'il aurait dû rejoindre. Il pense à la décision de ses parents qui va à l'encontre de ce qu'il désirait. Il y a une colère sourde qui gronde continuellement en lui. Il est fâché. Très fâché. Mais en ce moment, il n'y songe pas. Il se laisse aller à la joie de son frère et sourit même en le voyant couché dans la neige. C'est à ce moment que Marine lève la tête et l'aperçoit à la fenêtre. Elle crie :

— HO ! FAMIEN, VIENS AVEC NOUS ! Elle joint le geste à la parole, mais pendant que les autres cherchent l'endroit où elle a vu Famien, il a disparu de son poste d'observation. Marine rage. Eh bien, il ne sait pas vivre celui-là, marmonne-t-elle.

Elle retourne préparer sa guerre de boules de neige. Pendant qu'elle a le dos tourné, occupée avec Aya à solidifier les murs de leur construction, Fôté s'éloigne et se dirige vers le fond de la cour. Il va en direction de la rivière pour prendre une longue branche qu'il a repérée sur la glace. Au moment où il va y poser le pied, Elliot l'attrape solidement par le bras.

— Fôté, qu'est-ce qu'on a dit pour la rivière ? demande-t-il sévèrement au garçonnet.

— Mais je veux juste prendre la branche, répond Fôté en s'avançant de nouveau.

Elliot le tire vers lui et s'agenouille pour être à sa hauteur.

— Écoute bien, petit Fôté. Tu ne dois pas aller sur la glace. Si la glace cède sous tes pieds, où te retrouveras-tu, à ton avis ?

Fôté mord ses lèvres puis sourit :

— Dans la rivière, *plouch !*

Marine, qui arrive derrière eux, prend la parole :

— Fôté, ce n'est pas drôle. Si tu tombes dans la rivière, tu vas te noyer. Tu sais ce que ça veut dire ?

Fôté redevient sérieux et hoche la tête. Marine ne peut résister à ses grands yeux noirs et le prend dans ses bras.

— Alors, lorsque je te demande de rester près de nous, c'est ce que tu dois faire, compris ?

Fôté acquiesce. Les enfants ont faim. Ils décident alors de retourner dans le chalet. Les bottes, les mitaines, les tuques sont trempées, et si les enfants veulent qu'elles soient sèches pour leur bataille de l'après-midi, il vaut mieux rentrer. Seul Fôté rechigne un peu.

— Lui, il resterait dans la neige nuit et jour, dit Aya en lui intimant l'ordre de les suivre.

Finalement, le groupe entre dans le chalet et est accueilli par la chaleur du foyer et une solide collation. Après avoir bougé dans tous les sens, Fôté, qui a résisté tant qu'il a pu, s'est endormi en regardant les flammes.

Plus tard, lorsque les enfants se préparent à ressortir, Aya va s'asseoir près de Famien qui fixe le feu.

— Tu devrais venir avec nous lui chuchote-t-elle. C'est vraiment amusant et nos forts sont très solides !

Curieusement, Aya est la seule qui reçoit encore un peu de tendresse de son frère. Il se tourne lentement vers elle et caresse doucement sa main. Famien secoue sa tête bouclée et tente l'ébauche d'un sourire.

— Non. Je n'aime pas la neige.

Le garçon replonge dans sa contemplation pendant qu'Aya lance un regard déçu à sa mère. Jeanne se mord les lèvres pour ne pas pleurer. Pas une journée ne passe sans qu'elle et Kouamé ne se demandent s'ils ont fait le bon choix. Famien sortira-t-il de ce mutisme un jour ? Elle fait un signe de désolation plein de reconnaissance à Aya. Celle-ci n'abandonnera jamais son frère. Marine ne comprend pas pourquoi Famien est comme ça. Elle a envie de s'avancer et de secouer le garçon comme une branche d'arbre. Elle se garde toutefois de cette envie et continue d'aider Fôté à s'habiller chaudement.

— Qu'est-ce qu'on met sur les oreilles, Fôté ?

— Un chapeau, répond le garçon.

— Une tuque, précise Marine.

— Dans quoi est-ce que tu caches tes mains ?

— Dans des… heu… matines !

— Hi, hi, hi… des mitaines Fôté, des mitaines.

Marine pourrait passer des heures à présenter le vocabulaire québécois à Fôté. Ce petit garçon est tellement adorable qu'elle l'emmènerait bien chez elle ! Fôté, qui n'est pas rancunier, s'avance encore vers son grand frère. Il lui tend les deux mains :

— Regarde Famien, ça s'appelle des mati… heu... des mitaines, dit-il en se tournant vers Marine qui lève le pouce pour le féliciter.

Fôté s'approche encore plus près de Famien qui ne tourne même pas la tête. Alors, le cadet place ses deux mains sur le visage de son frère aîné. Comme un ressort, Famien se lève brusquement et bouscule Fôté en criant :

— LAISSE-MOI TRANQUILLE À LA FIN !

Avant de pouvoir faire quoi que ce soit, les parents et les enfants voient Marine s'avancer rapidement vers les deux frères pour mettre sa main sur le bras de Famien.

— Hé ! Ça suffit ! POURQUOI FAIS-TU DE LA PEINE À TON FRÈRE ?

Elliot veut s'interposer, mais Kouamé l'arrête. Il veut voir la réaction de son fils.

— QUOI ? crie Famien.

— ON EN A ASSEZ DE TON MAUVAIS CARACTÈRE ! NON MAIS, TU AS UN PROBLÈME...

Avant que Famien ne puisse répondre, la jeune fille devient rouge comme une tomate. Elle se retourne et tente de cacher ses larmes.

— Je suis désolée, chuchote-t-elle aux parents de Famien.

Famien reste figé sur place pendant quelques secondes avant de s'éloigner rapidement vers la chambre. Marine tente de s'expliquer :

— Je voulais seulement... commence-t-elle, oh… excusez-moi… j'étais fâchée parce qu'il a parlé sèchement à Fôté… oh…

Marine se laisse tomber sur la chaise la plus proche et éclate en sanglots. Julie et Simon, qui ne croyaient pas que cette fin de semaine serait aussi intense, ne savent pas quoi dire. C'est Elliot qui s'avance vers son amie. Il lui relève le front. Il ne sait pas vraiment quoi dire sans trahir le secret de Famien.

— Ne t'en fais pas, Marine. Je crois que Famien a beaucoup de colère, mais ce n'est pas de ta faute…

Elliot laisse sa phrase en suspens. Kouamé et Jeanne, après s'être consultés du regard, prennent la parole pour expliquer les raisons de la colère de Famien, ce qui plonge la jeune fille dans une détresse encore plus grande.

— Oh… C'est pire, gémit-elle. Si j'avais

su, j'aurais fait attention. Oh… Elliot, pourquoi ne m'en as-tu pas parlé, reproche-t-elle à son ami en pleurant à chaudes larmes.

Fôté, qui aime beaucoup Marine, passe derrière sa chaise et entoure le cou de la jeune fille de ses petits bras. Marine appuie son visage contre le bras de Fôté et sourit à travers ses larmes. Jeanne s'agenouille près de Fôté, Marine et Elliot.

— Marine, nous avions demandé à Elliot de ne pas vous en parler. Mais finalement, ce ne doit pas être un secret ici. Si on veut que vous compreniez d'où vient notre fils, vous devez savoir son passé. Tu n'as pas commis de crime. Famien va s'en remettre, ne t'inquiète pas. Il en a vu d'autres… *faut blé blé*, ajoute finalement Jeanne.

— Hein, *faut* quoi ?

— *Faut blé blé*, ça veut dire calme-toi, sourit la femme.

Marine sourit de nouveau, un peu calmée. Elle aime cette expression. Elle essuie ses larmes et prend la main que lui tend Jeanne.

— Maintenant, allez vous amuser. Je vais aller voir Famien, ne t'en fais pas ma chérie.

Marine n'a pas le cœur à rire et de longues minutes lui sont nécessaires avant de se mettre à jouer. Il faut dire que Fôté ne lui laisse pas le choix :

— Viens Marine... Allez Marine... Qu'est-ce que tu attends, Marinette ?

Après plusieurs appels restés sans réponse, le garçon s'élance sur la jeune fille et la fait tomber dans la neige. Malgré son jeune âge, Fôté a parfois une vieille âme et il comprend plus de choses qu'il n'en laisse paraître.

— Ne t'en fais pas, Marine, mon Famien *a* aller mieux.

Marine ne comprend pas et reprend Fôté :

— On dit *il va* aller mieux, Fôté.

Le petit garçon lui fait un clin d'œil :

— Ben... en Côte d'Ivoire, on dit *a* !

Et voilà Fôté qui recommence à sauter comme une puce. Marine ne peut rester triste plus longtemps, et quelques minutes suffisent pour qu'elle oublie la dispute avec Famien. Les enfants s'amusent dans la neige pour le reste de la matinée.

Chapitre 8

Disparition

Après un dîner enjoué, les adultes décident d'aller se promener en raquettes jusqu'au village. Jeanne, inquiète, recommande à Aya de bien surveiller son petit frère. C'est la première fois qu'elle va s'aventurer dans la neige et cette perspective ne la rassure pas. Quant à Famien, il est retourné dans sa chambre immédiatement après le repas. Durant le dîner, il n'a guère levé la tête de son assiette. Peinée, Jeanne a bien essayé de l'intégrer à la conversation, mais c'est peine perdue. L'image que renvoient Jeanne et Kouamé, la tuque enfoncée jusqu'aux yeux et malhabiles dans la neige, suffit à ramener la bonne humeur.

— Allez maman, allez ! dit Aya en riant. Jeanne s'empêtre dans ses raquettes et tombe à la renverse au grand plaisir des enfants qui tapent des mains. Elle maugrée et tente de se relever. Simon fait mine de se fâcher et tend la main à Jeanne. Finalement, après une leçon de raquette, le groupe part tant bien que mal. Simon ouvre la marche et Julie se place en arrière. À chaque pas, Jeanne manque de tomber et Fôté les suit jusqu'à l'orée du bois en courant comme un jeune chiot.

— Moi aussi je veux faire de la *rapette !* annonce-t-il à Chico et Elliot qui viennent le chercher.

— Oui, oui, on va te mettre des *rapettes* aux pieds, rigolent les garçons. Mais en attendant, n'oublie pas que c'est la grande bataille qui va se dérouler cet après-midi ! précise Elliot en riant.

* * *

— À l'attaque ! hurle Arthur en courant entre les deux forts.

— À l'attaque ! répond Marine qui le rejoint et lui lance une grosse boule de neige sur le dos.

— À l'attaque ! crie Fôté en trébuchant et en laissant tomber sa boule !

Il s'ensuit alors la plus grosse bataille de boules de neige de l'histoire du chalet ! D'un côté : Chico, Elliot et Arthur. De l'autre, Marine, Aya et Fôté. Pendant un long moment, on n'entend que des cris de guerre et de joie. Les garçons, même s'ils lancent plus fort, sont moins stratégiques que les deux filles qui réussissent à plusieurs reprises à s'approcher du fort ennemi.

— Bravo Aya ! tope là ! hurle Marine en voyant la jeune Ivoirienne revenir après avoir réussi son meilleur tir de l'après-midi.

Aya rit, rit et rit. Elle est heureuse. Elle aime la neige, le Québec et ses nouveaux amis. Elle se tourne vers la fenêtre de la chambre pour voir si son frère les regarde. Non, il n'est pas là.

— Dommage, murmure-t-elle.

Pourtant, si Aya avait tourné la tête quelques minutes plus tôt, elle aurait aperçu Famien derrière la vitre. Un Famien souriant doucement devant la course de son petit frère. Un Famien oubliant pour quelques instants son pays. Mais Famien a laissé retomber le rideau avant d'avoir trop envie d'aller les rejoindre, car il n'est pas question de laisser tomber sa colère. Il ne veut pas montrer le moindre signe de faiblesse. C'est pour cela qu'il est un vrai guerrier.

Depuis une heure, les deux camps se disputent le territoire. Une collation pour reprendre des forces et éviter une hypoglycémie à Elliot, et les voilà repartis. Fôté, lui, commence à se promener un peu plus loin. Il a vu un animal sur le bord de la rivière.

— Oh… un *tougono*. Regarde Aya, crie le garçon, il y a un *tougono !*

Mais sa grande sœur ne l'entend pas, trop occupée par la bataille qui se vit du côté du fort des garçons. Alors, Fôté décide de s'approcher du canard, du *tougono* comme il le nomme dans son dialecte, en dioula. Au pas de course, le garçon s'avance jusqu'à la rive. Évidemment, son approche rapide fait fuir l'animal plus loin sur la glace. Fôté décide de le suivre. Il prend un bout de biscuit dans le fond de sa poche…

— Allez, *tougono*, viens manger le biscuit… Viens, viens…

Fôté s'avance, s'avance un peu plus sur la glace. À chaque pas qu'il fait vers le centre de la rivière glacée, le canard s'envole un peu plus loin. Finalement, alors que Fôté arrive aux côtés de l'oiseau…

CRAAAAAAAAAAAAAC!

Le morceau de glace sur lequel marche le petit garçon se détache. Avant de pouvoir faire un geste, Fôté se sent déplacer sur l'eau. Il pleure et laisse tomber son biscuit. Il s'assoit sur la glace qui se déplace lentement vers le centre de la rivière. Le canard, lui, semble se moquer de lui et se met à cancaner. Il se met à battre des ailes plus fortement et tout à coup, deux autres canards le rejoignent. Majestueux, ils se posent sur la glace:

Coin, coin, coin, coin, coin, coin...

Ils nasillent pour donner un concert qui perce le silence. Fôté ne sait pas quoi faire. Il n'ose pas crier car il sait qu'il ne devrait pas être sur la glace. D'un autre côté, il s'éloigne tranquillement de la rive et voit ses amis et sa sœur s'éloigner jusqu'à devenir un petit point noir. Alors il se décide à appeler à l'aide:

— Ohé les amis!

Mais le bruit de la rivière couvre sa petite voix. De toute manière, les grands s'amusent à faire un ultime combat et ne se préoccupent pas du tout de ce qui peut se passer autour d'eux. Alors, Fôté s'assoit sur sa glace qui dérive et se met à pleurer. Il pleure à chaudes larmes et commence à trembler de peur. Il entend l'eau gronder. Elliot lui avait parlé d'une chute.

— Est-ce que c'est haut, une chute dans une rivière, se demande le petit garçon.

Fôté essaie de chanter mais sa voix se brise et il se met en boule. Il n'aime plus l'hiver. Lui aussi, il veut retourner en Côte d'Ivoire.

Pendant ce temps, Aya et Marine bombardent littéralement le fort des garçons et réussissent à en démolir la plus grosse partie. Les deux filles achèvent les garçons en sautant à pieds joints sur les murs du fort et en riant aux éclats. Tous s'écroulent alors sur la neige, épuisés par leur après-midi enneigé.

— Je me demande si maman a réussi à suivre les autres, dit Aya en souriant. Son sourire est éclatant dans son visage foncé et Chico sent son cœur s'emballer... Il détourne la tête pour que personne ne remarque son trouble.

— Probablement, répond Elliot. De toute façon, connaissant papa, ils ont dû s'arrêter au café du village pour prendre un petit remontant !

— C'est vrai que ça fait un petit bout de temps qu'ils sont partis, marmonne Marine en repoussant sa mitaine pour voir l'heure sur sa montre. Elle fronce les sourcils. Ça fait une heure et demie. Tu crois que c'est normal, Elliot ?

— Ben oui, ne t'en fais pas. Ils vont revenir é-pui-sés !

— C'est vrai qu'ils sont vieux ! rit Arthur.

— Et surtout, pas habitués ! continue Aya. Nous en Côte d'Ivoire, on n'a jamais vu ça, des raquettes.

Marine se tourne sur le ventre et regarde sérieusement son amie.

— Vous n'avez jamais, jamais, jamais de neige en Côte d'Ivoire ?

— Non.

— Il fait toujours, toujours, toujours beau et chaud ? redemande Marine en ignorant les garçons qui se moquent d'elle.

Aya réfléchit un court moment avant de donner sa réponse.

— En fait, il fait toujours chaud, mais pas toujours beau.

— Ah bon ? demande son amie maintenant couchée sur le dos.

— Disons que septembre et octobre, c'est la saison très fraîche. C'est humide et pluvieux. C'est plutôt triste en fait… commence Aya.

— Quand tu dis fraîche, ricane Elliot en lui coupant la parole, c'est environ… 30 °C !

Il tape dans la main d'Arthur et éclate de rire. Même Aya rigole, mais elle secoue la tête :

— Non, quand même pas, idiot ! Mais il peut faire 18 °C ou 20 °C.

— *Brrr, c'est vraiment poche, ça ! Une vraie température glaciale !* se moque Chico en grelottant.

— Continue donc, Aya, n'écoute pas ces idiots-là, l'encourage Marine en faisant les gros yeux à ses copains.

— Bien, on a aussi la saison très chaude, entre novembre et février. J'aime bien, mais parfois il peut faire jusqu'à 45 °C…

— Oh ! là, là ! s'exclame Arthur. C'est chaud ça !

— Alors, pendant que nous on gèle, vous, vous crevez de chaleur… C'est vraiment le monde à l'envers, dit Marine, songeuse.

— Et puis, il y a aussi la saison chaude,

humide et pluvieuse, de mars à juin. Il pleut alors souvent et…

Elliot gigote tout à coup et relève la tête. Il coupe la parole à son amie, mais cette fois, avec inquiétude :

— Dites donc, les filles… Où est Fôté ? demande-t-il.

— Ben… avec nous… répond Marine en se tournant vers leur fort.

— Mais je ne le vois pas, répond Elliot.

Un sentiment de panique envahit les jeunes qui se relèvent tous d'un coup. Marine secoue doucement la tête.

— Il doit être caché derrière le fort. Il était là il y a cinq minutes.

Arthur, qui se précipite déjà vers le fort, secoue la tête et crie :

— Il n'est pas ici !

Aya s'avance vers le chalet.

— Il est probablement rentré, dit-elle en se dirigeant vers le chalet. Il avait peut-être froid.

Elle grimpe les quatre marches en sautant et ouvre la porte.

— Ohé, Fôté, tu es rentré ? crie-t-elle.

Elliot, qui est arrivé derrière elle, ne prend même pas la peine d'enlever ses bottes et court dans le chalet en criant :

— Fôté, Fôté, es-tu ici ?

Tous les jeunes sont dans l'entrée et crient. Alors Famien, qui s'était endormi, sort de sa chambre.

— Qu'est-ce qui vous prend de crier comme ça ? maugrée le garçon renfrogné.

Aya s'avance vers lui, les yeux plein de larmes.

— On cherche Fôté. Il n'est plus avec nous, dit-elle.

— Comment ça ? Il jouait avec vous. Je l'ai vu tout à… commence Famien en s'arrêtant. Il ne veut pas leur avouer qu'il les a épiés pendant qu'ils s'amusaient dans la neige.

Mais les autres enfants sont trop inquiets

pour s'arrêter à ce détail. Famien recule vers les chambres et ouvre les portes les unes après les autres en criant le nom de son frère. Finalement, il revient dans le salon en secouant la tête. Il a pris un chandail et le passe par-dessus sa tête. Maintenant, Aya pleure à chaudes larmes. C'était elle qui était responsable de son frère et il n'est plus là.

— Ne t'en fais pas…

— *Aôn bi na ke di*[1], chuchote Aya. *Aôn bi na ke di.*

Les autres sont silencieux et attendent la réponse de Famien, qui semble revivre tout d'un coup. Il prend les épaules de sa sœur et les secoue doucement.

— Ne t'en fais pas, répète-t-il. On va aller le chercher, il a dû partir pour retrouver les parents.

Les enfants ont une lueur d'espoir. Évidemment ! Pourquoi n'y ont-ils pas

---

1. « Qu'est-ce que je vais faire ? »

pensé ? Elliot part en courant pour ouvrir le chemin.

— On va suivre le sentier qu'ils ont emprunté ! Je suis sûr qu'il est avec eux ! dit-il avec espoir.

— C'est vrai, crie Arthur en le suivant, il voulait faire de la *rapette* !

Chapitre 9

À la recherche de Fôté

Les trois amis se dirigent en courant dans le sentier de raquette. Marine hésite, mais finalement décide d'attendre avec Famien et Aya. Le calme de Famien la rassure. C'est comme s'il savait que son frère était sain et sauf. Pendant qu'il met son manteau et ses bottes, Marine observe Famien pour la première fois. Elle remarque ses grands yeux noirs entourés de longs cils fournis. Elle observe ses traits, fins pour un garçon, et sa peau couleur café au lait. Elle met tant d'attention à l'observer qu'elle ne se rend pas compte que Famien a terminé de s'habiller et qu'il l'attend.

— Hum... Tu viens? demande le garçon, gêné d'être ainsi observé.

— Hein? Oh oui, répond-elle en rougissant.

Elle se précipite dehors et espère que l'air froid lui fasse reprendre ses esprits. Mais aussitôt à l'extérieur, son cœur se serre en pensant au petit Fôté, alors elle se met à crier:

— Fôté? Fôté! Fôté? Où es-tu, Fôté?

Seul le silence lui répond et elle sent les sanglots lui monter à la gorge. Marine penche la tête et c'est le bras de Famien posé sur ses épaules qui lui redonne courage.

— Ne t'inquiète pas, Marine, on va le retrouver, mon petit frère, dit Famien.

Il descend l'escalier sa suivi de sa sœur et de Marine et se dirige vers le fort.

— O.K. Réfléchissez et dites-moi s'il vous a dit quelque chose qui nous donnerait des indices.

Aya et Marine secouent la tête tout en réfléchissant. Les garçons reviennent au même moment. Ils font un signe négatif à la question de Famien. Aucune trace de Fôté dans le sentier de raquette.

— Nous ne sommes pas allés jusqu'au village, dit Elliot qui finit de boire un jus de fruits afin de faire remonter son taux de sucre après un tel effort.

— De toute façon, en si peu de temps, il est impossible que Fôté ait pu se rendre au village. Nous avons couru sur environ trois kilomètres et aucune trace de lui, complète Chico. Pour une fois, il est sérieux. Il aime beaucoup Fôté et ne voudrait pas qu'il lui soit arrivé quelque chose.

C'est Famien qui prend le contrôle des opérations. Marine n'en revient pas. On ne dirait pas qu'il s'agit du même garçon que la veille. Il est sérieux et garde son calme.

— Bon, d'abord, réfléchissons. Qu'est-ce qui peut l'avoir intéressé assez pour s'éloigner de vous ?

Marine et Aya poussent un cri à l'unisson et Famien se tourne vers sa sœur.

— Ben… en fait, chuchote Aya, hier il s'est dirigé vers la…

Elle recommence à pleurer et Marine continue sa phrase :

— … vers la rivière, dit-elle à voix basse.

— C'est vrai ça ! dit Elliot. Ce matin, il voulait prendre un bâton qui traînait sur le bord.

— Mais il me semble qu'on lui a bien expliqué qu'il ne devait pas s'y aventurer, dit Chico qui tremble de peur, comme les autres, rien qu'en y pensant.

Seul Famien garde son calme. Dans la brousse avec les rebelles, il a appris à contrôler ses émotions. Il se tourne vers Elliot :

— Tu dois aller au village chercher nos

parents. Ils doivent revenir le plus rapidement possible pour nous aider à chercher mon frère.

— D'accord. J'y vais tout de suite.

— Je t'accompagne, dit Chico.

Les deux garçons s'élancent de nouveau dans le sentier, mais cette fois avec la mission de revenir avec les parents.

— Marine et Aya, faites le tour du chalet et allez jusqu'à la route. Continuez jusqu'aux prochaines maisons. Vous demanderez aux gens s'ils ont vu Fôté. Un petit bonhomme noir, ici, ça doit se remarquer, dit Famien en esquissant un petit sourire.

Les filles ne se le font pas dire deux fois et partent comme des flèches. Famien se tourne enfin vers Arthur.

— Quant à nous, commence-t-il…

— On va vers la rivière, continue le garçon le plus sérieusement du monde.

Du balcon, ils entendent le grondement de la rivière qui n'est pas gelée.

— Je ne comprends pas. Il fait tellement froid… Comment ça se fait que la rivière ne soit pas toute gelée ? dit Famien en faisant de grands pas dans la neige.

— Le courant est trop fort au milieu, explique Arthur. Seuls les côtés gèlent. Et encore, parfois, ils ne le sont pas tout à fait, complète-t-il en baissant la voix en songeant à Fôté.

Ils se dépêchent et une fois arrivés sur le bord de l'eau, Arthur crie :

— Fôté ! Fôté ! Tu es là ? Zut de zut !

Famien imite Arthur et, les mains en porte-voix, les deux garçons hurlent sur le bord de la rivière.

D'où il se trouve, Fôté les entend, mais sa petite voix ne se rend pas jusqu'à eux.

— Mais pourquoi ils ne viennent pas me chercher ? Ils sont méchants. J'ai peur moi.

Le morceau de glace sur lequel est assis Fôté se dirige lentement en aval. Depuis qu'il s'est détaché, il a parcouru un kilomètre sur l'eau. Étrangement, les canards sont maintenant une dizaine à le suivre et à cancaner. Le garçonnet se relève et hurle à pleins poumons :

— FAMIEN ! Je suis ici !

Aucune réponse. Résigné, Fôté se rassoit.

— Famien, chuchote-t-il… viens me chercher. J'ai peur moi. Je n'aime pas la rivière.

Il sanglote, la tête enfouie dans ses genoux.

Pendant qu'il pense qu'on l'a abandonné, les autres équipes continuent leurs recherches. Les deux filles ont cogné à deux portes qui sont restées closes.

— À mon avis, les chalets sont vides à cette période de l'année, marmonne Marine. Les gens viennent ici surtout l'été pour se baigner.

— Oh Mon Dieu… *Aôn bi na ke di*, répète sans arrêt Aya. Elle pleure et se retourne vers Marine qui la serre dans ses bras.

— On va le retrouver, le petit pou. Ne t'en fais pas, Aya. On va le retrouver.

Elliot et Chico sont arrivés à bout de souffle au café du village, où ils voient immédiatement les quatre paires de raquettes adossées contre le mur. Elliot se tourne vers Chico avant d'entrer dans le café :

— Je te l'avais dit qu'ils seraient ici.

Les deux garçons entrent et Simon leur fait un grand signe de la main. Les autres parents sont souriants, mais en voyant la mine des garçons, Julie demande avec inquiétude :

— Qu'est-ce qui se passe ?

Chico et Elliot ont un moment d'hésitation. Ils se sentent responsables et ne savent pas comment annoncer la nouvelle. En plus, Elliot se sent défaillir. Il doit manger quelque chose pour éviter une hypoglycémie après la course qu'il vient de faire. Alors, il se lance :

— Heu… c'est Fôté, dit-il piteusement. Il en profite pour s'emparer du jus d'orange de son père. Simon se lève immédiatement pour payer l'addition.

— Fôté ? demande Jeanne qui semble ne pas comprendre. Qu'est-ce qu'il a, Fôté ?

Chico se racle la gorge et prend la parole pour donner le temps à Elliot de reprendre des forces.

— En fait, on ne le trouve plus. Il était avec nous pendant la bataille de boules de neige et lorsqu'on a fini, il n'était plus là !

Simon secoue la tête.

— Comment cela est-il possible ? Il était bien avec vous ?

— Eh bien, au début oui, mais après…

— De toute manière, coupe Kouamé déjà à la porte, ce qui est important pour l'instant, c'est de retrouver Fôté. On commence par retourner au chalet en vitesse. Allez tout le monde.

L'homme coiffe sa tuque et avant même de boutonner son manteau, s'élance à l'extérieur. Les autres le suivent et Simon se tourne vers son fils :

— Rapportez les raquettes, on va y aller à pied, c'est plus rapide. Où sont les autres ?

— Marine et Aya cognent chez les voisins et Arthur et Famien…

— Famien ? demande Jeanne.

— Oui, Famien est avec Arthur sur le bord de la… hum… la rivière.

— Oh, mon Dieu ! La rivière, je ne pensais plus à la rivière ! s'exclame Jeanne avant de se laisser tomber dans la neige.

— J'appelle le 911. On ne sait jamais ! lance Julie.

Jeanne se met à parler dioula à une telle vitesse qu'Elliot et Chico restent bouche bée. Julie la prend dans ses bras.

— Il n'est sûrement pas allé à la rivière car on lui a bien dit hier que c'était dangereux.

Jeanne lance un regard découragé à son amie :

— C'est qu'en général, il s'agit de dire à Fôté de ne pas faire quelque chose pour qu'il le fasse, murmure-t-elle avant de se lever pour suivre les hommes.

Rapidement, les hommes arrivent au chalet. Ils entendent les voix d'Arthur et de Famien avant de les voir.

— FÔTÉ ! FÔTÉ !

Simon arrive près d'eux, suivi de peu par Kouamé qui fait un signe à son fils aîné. Malgré la tension du moment, il se rend compte qu'il présente un visage plus calme. Pour la première fois depuis leur arrivée au Québec, Famien semble penser à autre chose qu'aux combats qu'il aurait dû et voulu faire en Côte d'Ivoire.

— Je ne l'entends pas, papa, dit Famien en secouant la tête. Nous avons marché le long de la rivière, le plus loin que nous pouvions aller vers la droite, mais on ne l'a pas vu.

— Il n'est peut-être pas sur la rivière, suppose Simon.

Les deux filles arrivent au même moment et Aya saute dans les bras de son père en sanglotant. Celui-ci lui caresse les joues en la repoussant.

— Il ne faut pas pleurer, Aya, il faut le chercher.

Aya renifle et hoche la tête.

— Mais où ?

— FÔTÉ ! hurle alors Simon de sa voix la plus forte.

— F…

— Attendez ! écoutez je crois que je l'ai entendu, dit Marine.

Mais seul le silence lui répond. Alors, Kouamé hurle à son tour :

— FÔTÉ, SI TU ENTENDS, CRIE PLUS FORT !

— … i… ci…pa… pa...

Tous poussent un cri de soulagement. Il est vivant. Mais où est-il ?

Le groupe descend le long de la rivière. Ils sont sûrs que Fôté est par là. Combien de temps réussira-t-il à tenir le coup ? Arriveront-ils à temps ?

Chapitre 10

Sauvetage

Tout le monde marche à la queue leu leu sur la rive. Parfois, ils doivent gravir des rochers ou des arbres morts mais rien ne les arrête. Malgré le froid, qui se fait plus ressentir maintenant que le soleil s'est couché, ils n'ont qu'un seul but : ramener le garçon en sûreté avant la nuit. À tour de rôle, les adultes crient de leur voix la plus forte afin de situer Fôté.

— FÔTÉ ?

— I… CI… MAMA…

Une dizaine de pas plus loin.

— FÔTÉ ?

— I… CI… pa…

Finalement, après des minutes de marche, Marine croit apercevoir la tuque rouge du garçon.

— LÀ ! hurle-t-elle… Je vois sa tuque ! FÔTÉ ?

Le petit garçon n'a plus de force. Il a l'impression que son morceau de glace a rapetissé et il a peur de tomber à l'eau. Toute son énergie vise à rester au milieu du morceau de glace. Il a froid, il fait presque noir et il entend toutes sortes de bruits inquiétants. Quand il lève la tête et aperçoit le groupe au loin, il pleure.

— Ma ma man, j'ai froid…

Alors qu'il croit crier, sa voix n'est qu'un murmure. Il continue à marmonner. Sur la rive, les discussions vont bon train.

— Je vais aller le chercher, dit Kouamé en commençant à enlever ses bottes.

— Papa, tu ne sais pas nager, coupe Famien en arrêtant son père.

— De toute façon, il est impossible d'entrer dans cette eau glacée, précise Simon. Nous allons faire une chaîne. Famien et Elliot, retournez au chalet et prenez des draps. Tous les draps que vous trouverez.

Simon explique son plan.

— Nous allons continuer à descendre pour être vraiment face à Fôté. Puis, les adultes, nous nous approcherons le plus près possible pour lancer la corde de draps à Fôté. À mon avis, il doit être sur un morceau de glace qui s'est détaché. D'ici, on ne voit pas vraiment.

— Arthur ? demande Julie, peux-tu aussi aller au chalet ? Dans la cave, il y a des gilets de sauvetage. On doit en avoir quatre ou cinq.

— Bonne idée ! dit Simon.

Kouamé et Jeanne sont figés. Malgré leur bon vouloir, ils sont tellement inquiets qu'ils n'arrivent plus à faire le moindre geste. Mais Kouamé se secoue soudainement et dit :

— Continuons à marcher pour mieux le distinguer.

Le groupe repart et une quinzaine de mètres plus loin, ils ont une meilleure vue de Fôté. Le cœur de Jeanne se serre en voyant son petit garçon roulé en boule sur un morceau de glace qui lui semble bien étroit. Par miracle, la glace ne se déplace plus. Le morceau semble être retenu par un tronc d'arbre qui sort de l'eau. Mais le courant peut le déplacer rapidement. Il faut faire vite ! Le sauvetage s'organise. Après plusieurs discussions, Elliot réussit à faire entendre raison à son père et à sa mère :

— Non, quelqu'un de plus léger aura plus de chances de se rendre jusqu'à Fôté. Réfléchissez, si c'est Kouamé ou toi, papa, qui y allez, avec votre poids, la glace va céder plus vite. Ce ne sera pas mieux si on doit ensuite vous sauver ! Je crois vraiment que je suis le mieux placé pour m'approcher de Fôté et lui lancer le drap.

— Mais… commence Simon en hésitant.

— Je crois qu'Elliot a raison, dit Julie malgré son inquiétude. De plus, avec le gilet de sauvetage, il y a moins de risques. C'est vraiment lui le plus léger…

— … ou moi, dit Marine.

Julie se tourne avec un sourire, mais refuse son offre :

— Tu es très gentille, mais je ne peux pas te faire prendre ce risque.

La voix rassurante de Jeanne s'élève dans l'obscurité :

— Fôté, Fôté, tiens bon. On arrive, mon amour !

Les secours s'organisent donc rapidement. Sur la rive, Jeanne, Marine et Julie tiennent le bout de la corde qui a d'abord été nouée autour d'un bouleau dénudé.

Viennent ensuite dans l'ordre Chico, Arthur, Famien, Kouamé, Simon et, en tout dernier, Elliot. Ces derniers s'avancent sur la glace en laissant une distance d'environ un mètre entre chacun d'eux. Kouamé et les quatre garçons ont tous un gilet de sauvetage. Simon prend le risque de ne pas en porter. Toutefois, comme il le précise :

— On ne discute pas ! Je peux prendre ce risque, moi et personne d'autre. Fin de la discussion. Alors on avance... DOUCE-MENT... LEN-TE-MENT... Elliot, c'est ça, continue ainsi à quatre pattes.

Sous leurs pas, la glace craque et leur cœur s'emballe chaque fois. Mais tous gardent leur calme. De temps en temps, la voix de Jeanne coupe le silence pour rassurer son fils.

— On arrive, Fôté ! Tiens bon, mon cœur.

Tout à coup, en amont, un large morceau de glace se détache pour aller se fracasser contre le morceau sur lequel est assis Fôté.

— AAAAAAH ! MAMAN ! MAMAN ! hurle le garçon paniqué.

Le bloc finit sa course dans les branches du tronc pour caler celui sur lequel se trouve Fôté. Tout le monde, après avoir retenu son souffle, respire profondément. Jeanne prie en silence. Seules ses lèvres bougent. Julie lui serre la main très fort et lui adresse un sourire rassurant.

— Tout ira bien. Je le sens, Jeanne. Tout ira bien.

Finalement, Elliot arrive au bout de la glace. Environ cinq mètres d'eau ruisselante le séparent du garçonnet qui lui fait piteusement un signe de la main. Elliot crie sans se retourner :

— J'y suis presque, papa ! Je vais lui lancer la corde… Fôté ! crie Elliot, je te lance une corde, agrippe-la, d'accord ?

Sur la rive, Jeanne et Julie n'entendent pas la réponse de Fôté, mais elles écoutent Elliot qui décrit toutes les étapes de son sauvetage.

— Encore, Fôté! dit Elliot en reprenant la corde.

— ...

— Je sais que tu as froid, mais tu dois te forcer. Tu ne veux pas faire dodo sur la glace, n'est-ce pas? Allez mon grand... Un petit effort!

Pendant quelques instants, plus un mot n'est prononcé. Jeanne panique:

— Que se passe-t-il? Kouamé, que se passe-t-il?

— Ça y est, il l'a! Tien bien fort, Fôté! hurle Elliot.

— Tout le monde, à trois, on tire doucement. Un, deux, trois...

En parfaite harmonie, les autres réussissent à tirer le bloc de glace sur lequel se tient Fôté jusqu'à Elliot, qui lui tend ensuite la main.

— Maintenant, petit Fôté, viens doucement à quatre pattes vers moi. Allez, viens.

Fôté, qui n'a pas bougé depuis plus d'une heure, n'arrive pas à avancer. Il pleure doucement.

— Je… ne… ne… peux… pas…. J'ai peur... Mes jambes sont coincées…

— Si, tu peux, Fôté, crie Famien. Viens me rejoindre. Allez, tranquillement, un geste à la fois.

Grâce aux paroles de son grand frère, Fôté reprend courage et réussit à se déplacer. Il marche à quatre pattes, tranquillement, en s'arrêtant dès que la glace bouge sous lui. Il se concentre et essaie de ne pas pleurer. Il se laisse guider par la voix de Famien qui n'arrête pas de lui parler pour le rassurer. Elliot arrive enfin à lui saisir la main. Après lui avoir mis son gilet de sauvetage, il le prend sur son dos et refait prudemment le chemin inverse en tenant fermement la corde de tissu. Le petit garçon est léger et Elliot revient sans peine sur la rive. Tout le monde continue à tirer à reculons, jusqu'à ce que Kouamé puisse tendre la main à Elliot et le mener sur la terre ferme.

— Je ne pourrai jamais assez te remercier, Elliot. Je te dois la vie de mon fils.

Intimidé, Elliot hausse les épaules et fait un clin d'œil à Fôté. Jeanne se précipite vers son fils pour le serrer dans ses bras. Elle n'arrive pas à cesser de pleurer. Elle a eu si peur pour son petit Fôté. Mais le petit garçon aperçoit son grand frère caché derrière son père et il se précipite pour se jeter dans ses bras.

— Famien, tu es sorti de la maison. Je t'aime, moi, tu sais. Tu m'as manqué.

Famien essuie discrètement des larmes. De toute manière, tout le monde pleure.

— Je suis sorti parce que j'ai eu peur qu'il te soit arrivé quelque chose, répond enfin Famien. Ne t'inquiète pas, je n'ai plus l'intention de retourner m'enfermer, Fôté !

— Ah bien, tant mieux. Bon, *congo bi na*[2].

Toute la famille ivoirienne éclate de rire avant d'expliquer aux Québécois ce que Fôté vient de dire. Pour lui, la mésaventure est finie. En plus, pour l'instant, personne ne l'a grondé, et il entend bien profiter de ce moment avant que ses parents ne le punissent !

Mais Kouamé et Jeanne sont tellement heureux de voir toute leur famille réunie qu'ils n'ont pas du tout l'intention de punir qui que ce soit !

---

2. « J'ai faim. »

Chapitre 11

Une fin de semaine tranquille...

Devant son assiette, Fôté est redevenu aussi coquin qu'avant. La mésaventure est oubliée ! Les secours n'ont pas pu atteindre le chalet à cause de la quantité de neige laissée par la tempête de la nuit précédente. Heureusement que tout est bien qui finit bien !

Trop heureux d'être au chaud avec sa famille et ses nouveaux amis, Fôté fait le fanfaron.

— Mais moi, je n'ai pas eu peur, explique-t-il à Famien assis à côté de lui.

— Hum, hum, acquiesce son frère en lui passant la main sur la tête.

— C'est vrai. Il y avait des canards tout autour de moi ! Ils m'ont tenu compagnie comme des amis ! En plus, c'est de la faute du canard vert. C'est lui qui est venu me chercher pendant que vous étiez couchés dans la neige. J'ai juste voulu m'approcher pour voir son bec. Et puis, il a reculé, alors moi…

— Toi… tu as avancé, continue Kouamé en faisant de gros yeux.

— Hum…

Fôté se dépêche d'engouffrer un gros morceau de pain pour éviter de répondre. Il pense qu'il ferait mieux de changer de conversation parce que son père va se souvenir qu'il ne l'a pas puni !

— Famien, pourquoi as-tu décidé que

tu n'étais plus fâché ? demande-t-il de but en blanc à son grand frère.

Le silence se fait brusquement. Tout le monde se tourne vers l'adolescent qui, s'il n'était pas noir, serait probablement rouge écarlate ! Sa mère se penche vers lui et lui pose la main sur l'avant-bras :

— Mon Famien adoré, moi, je suis heureuse. Heureuse de te retrouver ! Ce sont mes deux fils que j'ai retrouvés…

Famien s'en veut de la peine qu'il a faite à sa famille. Mais de là à présenter des excuses devant tout ce monde… Alors, il tente d'être le plus précis possible sans trop se livrer.

— Depuis que nous sommes arrivés au Canada, au Québec plus précisément, je me demande ce que je serais devenu en Côte d'Ivoire. C'est certain que j'aurais préféré rester dans mon pays. Je n'oublierai jamais mes amis, mes professeurs…

— Et nous ne nous attendons pas à ça, coupe Kouamé. Il secoue la tête et fait signe à son fils de continuer.

— Mais aujourd'hui, j'ai compris que c'est parce que vous m'aimez que vous avez fait ce choix.

Jeanne et Kouamé hochent la tête, les yeux pleins de larmes. Ils aiment tellement leurs enfants que parfois, ils se demandent s'ils en ont fait assez, s'ils ont réussi à les sauver de cette vie si difficile. À voir Famien depuis leur arrivée au Canada, les deux parents commençaient à avoir des doutes. Et s'ils s'étaient trompés et que Famien leur en voulait pour le reste de leur vie ? Mais de voir Famien s'expliquer ainsi, sans colère, sans amertume, leur donne enfin du baume au cœur.

— Moi aussi, je t'aime ! répète Fôté qui ne lâche plus son grand frère.

Famien lui sourit comme avant. Avec un vrai sourire d'enfant.

— Je t'aime aussi, petit gars ! Quand j'ai vu que Fôté était en danger, j'ai eu vraiment très peur. Peur de perdre mon petit frère adoré, peur que mon idiotie ait amené Fôté à faire l'idiot !

Fôté fait la moue.

— Moi, je voulais juste voir les canards. Il y en avait un qui avait comme un collier vert. C'était vraiment drôle… Hi, hi, hi, hi !

Fôté rit de plus en plus fort en pensant aux oiseaux qu'il a vus. Son rire éclate dans la cuisine, et tous se mettent à rire sans vraiment savoir pourquoi. Elliot prend la parole et ses mots rejoignent la pensée de tout le monde :

— En tout cas, Famien, nous, on est vraiment contents que tu sois sorti de ta chambre.

— Tu sais, on ne pourra jamais vraiment comprendre ce que tu as vécu en Côte d'Ivoire ; par contre, ici au Québec, je te jure que tu pourras vivre des choses extraordinaires ! dit Marine, emportée par son enthousiasme.

Tout le groupe éclate de rire en la regardant rougir. Elle s'est emballée et voudrait bien se cacher dans un petit trou. Mais Famien a compris. Sur la main de Marine, il pose sa main noire qui contraste avec la peau très blanche de sa nouvelle amie et lui sourit.

— Merci, dit-il simplement.

— De rien, marmonne Marine qui sent son cœur fondre sous le regard tendre de Famien.

Fôté brise le silence en criant :

— Est-ce qu'il y a du dessert, Madame Julie ?

La joie règne jusqu'à la fin du souper. Le lendemain est un jour de congé. C'est une journée pédagogique dans les écoles de Montréal. Heureusement, car tous ont envie de se coucher le plus tard possible, malgré les événements épuisants de la journée. Le retour étant prévu pour la fin de l'après-midi du lundi, les enfants décident de commencer une partie de Monopoly.

— Moi, je veux jouer, je veux jouer… moi, je veux… dit Fôté en sautant partout.

— On le sait, toi, tu veux aller te coucher, ricane Arthur.

Ses paroles stoppent immédiatement les sauts de Fôté.

— Hein ? demande-t-il… pas du tout. Ce n'est pas ce que j'ai dit ! Je veux…

— JOUER ! crient en chœur les autres enfants en éclatant de rire.

Comme d'habitude lorsqu'on se moque de lui, Fôté se renfrogne quelques secondes. Mais en voyant tous les jeunes se faire des clins d'œil, le garçonnet comprend qu'il vaut mieux rire avec eux.

La partie de Monopoly se termine tard dans la soirée. Vers vingt-trois heures trente, Fôté et Marine sont tous les deux couchés sur le divan devant le foyer. Ils ont abandonné depuis longtemps leurs maisons, leurs avenues et leur argent. Fôté dort à poings fermés contre Marine qui n'ose pas bouger de peur de le réveiller. Elle regarde Famien entre ses paupières à moitié ouvertes. Elle le trouve beau. Sa peau couleur d'ébène, ses boucles noires, ses grands yeux noisettes... tout pour que les filles de sa classe ne restent pas insensibles...

— *Non...no...maman...peur...* marmonne Fôté dans son sommeil.

— Chut, chut petit Fôté, chuchote Marine.

Famien, déjà debout pour venir rassurer son frère, se rassoit sous le regard de Marine. Il lui sourit et retourne à son jeu. Il se sent heureux. Heureux pour la première fois depuis qu'il a quitté son pays. Parfois, le soir, dans son lit, il s'imagine encore parmi les rebelles pour délivrer son pays. Il veut combattre pour rendre la vie meilleure à tous les gens de son pays. Et puis maintenant, là, il se rend compte qu'il y a probablement de meilleures manières pour aider son peuple.

— À toi, Famien, dit Elliot la bouche pleine de croustilles au fromage.

Lui aussi est heureux. Il se rend compte que l'idée de sa mère n'était pas si folle que ça. Il aime bien Kouamé, Jeanne et leurs enfants. En plus, il mange des croustilles sans avoir à confronter le regard inquiet de sa mère. Il n'est pas obligé de se justifier : *Oui maman, j'ai fait ma glycémie. Oui maman, elle est correcte. Oui maman, je peux manger des croustilles sans que mon taux de sucre ne s'affole !*

Au début de sa maladie, ses parents et lui ont pris du temps à comprendre que ce n'était pas qu'au sucre des gâteaux et des friandises qu'il devait faire attention ! En fait, il doit toujours regarder le taux de glucides dans un aliment. Elliot ne peut pas manger des croustilles sans voir son taux de sucre grimper, parce que dans les pommes de terre, il y a des sucres. Dans le pain aussi ; et dans les céréales, c'est la même chose.

— En fait, explique justement Elliot à Famien, c'est quand on devient diabétique qu'on s'aperçoit que plein d'aliments contiennent du sucre. Il n'y a à peu près que la viande, les légumes et les fromages que je peux manger sans problème. Sinon, dit-il en engloutissant une autre poignée de chips, je dois tout vérifier !

— Eh bien, dis donc, c'est vraiment… poche ! dit Famien en imitant l'expression souvent utilisée par Chico.

Ce dernier, à moitié endormi sur le sofa, lève le pouce en signe de connivence.

— Bon, les amis, ce n'est pas que je ne vous aime pas, mais moi, je vais faire dodo ! dit Chico en se levant péniblement.

Ses paroles sonnent le glas. Après cette longue journée, une bonne nuit de sommeil saura ragaillardir tout le monde !

* * *

Malgré la fatigue de la veille, Fôté est frais est dispos dès sept heures le lendemain matin. Il saute sur son grand frère qui se cache sous les couvertures.

— Allez Famien, tu n'es même pas venu jouer avec nous dehors encore. Ce matin, tu dois venir.

Famien grogne sous les couvertures et Fôté craint, pendant un moment, que son grand frère ne soit redevenu comme avant. Mais tout à coup, Famien sort la tête en souriant :

— Ouais, mon ami, je vais aller dehors avec toi !

— Hourra, hourra !

Fôté court partout dans le chalet en criant :

— On va jouer dehors ! On va jouer dehors !

Avant que Jeanne ou Kouamé réussissent à le faire taire, toutes les portes des chambres s'ouvrent sur des têtes hirsutes. Fôté, au bout du couloir, saute encore de joie, mais en voyant les mines renfrognées qui lui font face, il se dit qu'il ferait mieux de se taire.

— Ben quoi, marmonne-t-il… On va jouer… bof. Tant pis pour vous, moi je serai prêt le premier.

Lorsque Chico, Arthur et Elliot sortent de leur chambre, ils éclatent de rire en voyant Fôté, assis tranquillement sur le divan. Le garçon est emmitouflé de la tête aux pieds : tuque, foulard, habit de neige, mitaines… même ses bottes qu'il a déposées sur un journal qu'il a pris la peine de poser sur le sol.

— Je vous l'avais dit que je serais prêt le premier !

Toute la matinée se passe dans la neige. Famien grelotte de froid, mais il rit tellement qu'il ne veut pas rentrer. Une seule fois, son petit frère s'est approché de la rivière, et Famien l'a aussitôt attrapé par le capuchon :

— NON !

Fôté essaye de s'expliquer, mais le visage de Famien veut tout dire, alors il se tait. Il retourne vers le groupe sans dire un mot. Il comprend que son grand frère a eu très peur. Quand tous les enfants ont froid, c'est l'heure du dîner. À la table, Marine demande aux petits invités la signification de leur prénom.

Famien commence. Il est volubile comme avant et Jeanne cesse de manger pour l'écouter avec ravissement. Elle sourit et ses yeux brillent de bonheur.

— Moi je m'appelle Famien parce que maman disait que j'avais l'air d'un prince ! Ma soeur s'appelle Aya, car elle est née un vendredi, et mon père c'est Kouamé, pour le dimanche. En Côte d'Ivoire, les prénoms sont souvent en lien avec des jours, des expressions… Pour tous les jours de la semaine, il existe un prénom que le parent donne parfois à son enfant qui est né ce jour-là. Il y a juste Fôté qui s'appelle Fôté parce que… parce que….

Famien se retourne en riant vers sa mère et lui demande :

— Dis maman, pourquoi as-tu nommé Fôté ainsi ?

Jeanne sourit et hausse les épaules. Famien continue en se moquant un peu…

— Est-ce que c'est parce que c'était une faute ? Hi, hi, hi !

Tous les enfants éclatent de rire, sauf Fôté qui se renfrogne même s'il ne comprend pas vraiment. Mais il sait qu'on se moque de lui et il n'aime pas ça !

— Je ne t'aime plus, Famien, murmure le garçonnet.

— Et moi, *mi klôa*[3], répond son frère avec un clin d'œil à sa mère.

Jeanne est tellement heureuse de retrouver son fils qu'elle ne pense même pas à le disputer lorsqu'il se moque de son petit frère.

Chico parle pour tous lorsqu'il demande :

— Ça veut dire quoi, ça, *mi koa* ?

Les Ivoiriens, y compris le petit Fôté, éclatent alors de rire devant la maladresse du langage de Chico. Fôté s'approche de son ami et place ses mains sur ses épaules :

— C'est *mi klôa,* et ça veut dire « je t'aime ». Répète après moi : *mi klôa, mi klôa...*

Chico est bon joueur et il fait quelques erreurs volontaires pour faire rire le garçon. Celui-ci décide de lui donner un cours de dioula.

3. « Je t'aime. »

— Chico, répète lentement parce que tu n'es pas très bon, dit Fôté aucunement diplomate. Un : *kele;* deux : *fla;* trois : *saba;* quatre : *nani;* cinq : *lorou;* dix : *tan*, récite Fôté.

Ensuite, il écoute Chico répéter laborieusement les chiffres. Il est hilare et frappe sur ses cuisses. Tout le monde rit dans la cuisine. Il fait bon et Jeanne et Kouamé sont tellement heureux qu'ils ont parfois l'impression de respirer difficilement, comme si le bonheur leur coupait le souffle. Après Chico, Elliot crie :

— Moi aussi je veux apprendre l'africain !

— En fait, c'est le dialecte dioula. En Afrique, il y a plusieurs dialectes différents selon la région. Nous, on parlait français et souvent dioula, mais on comprend aussi le baoulé et d'autres dialectes sans les parler parfaitement.

Elliot hoche la tête.

— Dans le fond, c'est comme notre français québécois et le francais de France !

En plus, si tu vas en Gaspésie ou au Nouveau-Brunswick, les accents sont parfois très différents. Je veux apprendre le dioula, moi aussi !

Trop heureux que toute l'attention soit portée sur lui, Fôté cherche dans sa mémoire pour donner un cours à son ami. Parfois, Aya ou Famien se penchent à son oreille pour lui souffler des mots :

— J'ai faim : *congo bi na.*

— J'ai soif : *en-be-dro-mi.*

— Enfant : *bemise.*

— Aujourd'hui : *nanan.*

— Hier : *sini-soroma.*

— Demain : *sini.*

Tout le monde applaudit les efforts plus ou moins réussis d'Elliot, puis c'est au tour de Marine et d'Arthur d'essayer. Cette fois-ci, c'est Famien qui donne les mots, car Fôté commence à se lasser.

— Pain : *brou.*

— Quel est le prix ? : *djolio ?*

— Bœuf : *missi*.

— Bonsoir : *ni woura*.

— Bonne nuit : *i ni sou*.

Finalement, après encore quelques minutes de ce jeu, Elliot repose à Jeanne et Kouamé la question à l'origine de ce cours impromptu :

— Mais Jeanne, vous n'avez pas répondu à la question… Pourquoi Fôté s'appelle-t-il ainsi ?

— Oui, maman, pourquoi je m'appelle comme ça, moi ? dit le garçon, les deux mains sur les hanches, en regardant sa mère sérieusement.

Jeanne attrape le garçon et l'assoit sur elle en retenant son fou rire :

— Lorsque je suis allée à l'université, j'ai eu un professeur du nom de Harris Memel Fôté. C'était un homme extraordinaire, comme toi ! Alors, pour lui rendre hommage, j'ai décidé de te nommer comme lui !

Fôté, saute sur ses petites jambes et court se planter devant son frère.

— Tu vois, moi, je suis spécial et je suis *extrodiai*... heu... *estradinaire* ! précise Fôté sous les éclats de rire.

— Oh, pour ça oui, tu es *estradinaire !* rigole Famien en tapant dans les mains de Chico.

Après cette belle journée, les deux familles doivent malheureusement retourner en ville. La fin de semaine est terminée. Après un début imprévisible, des pleurs, des cris, des peurs, la fin est à la hauteur des espérances de Julie. Lorsqu'elle a décidé d'embarquer sa famille dans cette aventure ivoirienne, jamais elle n'aurait pu prévoir de vivre autant d'émotions en si peu de temps. Satisfaite, elle regarde tout le monde avant le grand départ et s'approche de Simon. Appuyant sa tête contre son épaule, elle lui chuchote à l'oreille :

— Je suis heureuse. Pour la première fois depuis très longtemps, je me sens en paix. Je crois que la vie ailleurs n'est pas toujours facile. C'est incroyable ce que Kouamé et Jeanne ont sacrifié pour sauver leur enfant.

Son mari hoche la tête. Il comprend. Après une année difficile à apprivoiser le diabète de leur garçon, il a lui aussi l'impression qu'enfin la vie reprend son cours. Ils s'aperçoivent que les choses redeviennent comme avant.

— Moi aussi, répond-il à sa femme avant de prendre Fôté dans ses bras et de le lancer dans les airs.

Le petit garçon hurle de joie. Tous savent que ce n'est que le début d'une belle et longue amitié. Qui sait, peut-être qu'un jour, leurs amis ivoiriens pourront leur montrer leur beau pays d'Afrique…

Demain, l'école recommence, et malgré le peu d'envie des enfants de retourner en classe, tous sont satisfaits et convaincus d'avoir vécu une aventure…

ESTRADINAIRE !

FIN